育児の悩みに現役保育者がアドバイス

Q&Aでわかる！
育児のヒント100

編著・チャイルド社

チャイルド社

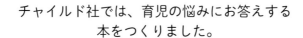

チャイルド社では、育児の悩みにお答えする
本をつくりました。

イソップ童話に、
「北風と太陽」というお話があります。

あるとき、北風と太陽が、旅人のマントを
どちらが早く脱がせることができるか力比べをします。
北風は、力いっぱいに強い風を吹きつけますが、
旅人は自分の身を守るために更に身をかがめ、
必死になって抵抗しました。
一方、太陽は旅人をゆっくりあたたかく照らし、
旅人は自分から気持ちよくマントを脱いだ、
というお話です。

このお話に、育児に大切な「幹」が感じられます。

厳しい行動や冷たい言葉、力づくで手っ取り早く
人や物事を動かそうとすると、かえって人はかたくなになる。
それよりも、あたたかくやさしい言葉をかけたり、
安心する状況をつくることで、
人は自分から行動するようになるというものです。

育児は決して、むずかしくありません。
私たちのこころのなかに、子どもに寄り添う
あたたかな気持ちさえあれば、小さな芽は自分の力でやさしく、
強く育っていきます。

みなさまのお力になれれば幸せです。

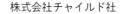

株式会社チャイルド社

CONTENTS

PART 2　生活習慣・生活の自立

PART 3　からだとこころの発達

CONTENTS

PART 4　小学校につながる学び

PART 5　子どもを通した人間関係

CONTENTS

PART 1

ほめ方・叱り方

「たくさんほめて育てよう」
「なるべく叱らないようにしよう」
そう思っても現実はなかなか
思うようにはいきませんね。
ついほかの子と比べてしまい
ほめることができなかったり、
家事や育児で忙しく、
叱ることばかり増えてしまったり……。

どうしたら、子どものこころに届く
ほめ方・叱り方ができるのでしょう。

大好きなバナナ

年長さんになったけど

えへん！・

家ではまだまだわがまま

お姉さんになったんでしょいい加減にしなさい!!!

でも、ある日お迎えに行くと

大好きなバナナ。大きいほうを小さい子にあげてました。

どーぞ

わーい

母、反省。

〈 基礎知識 〉

ほめることで子どもに育つもの

親子の安定した信頼関係のもと、精神的な土台が育まれます。

自己肯定感

「自分は認められている」
「大切な存在である」
「ありのままの自分でいいんだ」
と感じるこころが育ちます。

自分も人も大切に思えるこころ

自分を好きになり、自分を大切に思えるようになります。この思いは生きる力の根源となり、人のことも大切にできるようになります。

挑戦する意欲

自分に自信がつき、いろいろなことに挑戦する意欲が高まります。

親の思い（価値観）

どのような大人になってほしいか、
どのように生きていってほしいか、
親の思いに気づきます。

叱ることで子どもが学ぶもの

何がよくて何が悪いかに気づいていきます。

社会で生きるために必要なルール

危険回避も含めて、社会で生きるために必要なルールや約束事を知ります。

集団のなかでのふさわしいふるまい

人とつながるために、集団のなかでのふるまいやコミュニケーションのあり方を学びます。

ほめるときの
ポイント

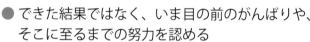

● できた結果ではなく、いま目の前のがんばりや、
　そこに至るまでの努力を認める

● 大人にとって都合のいい「いい子」の姿をほめない

● ほかの子どもとの比較でほめない

● できてあたりまえと親が思うような
　小さなこともほめる

● まわりに「勝った」ことを理由にほめない

● 失敗したときこそほめるチャンス！
　次への解決策を一緒に考える機会にする

● ほめられることを照れたり、いやがったりするときは、
　笑顔でうなずくなど態度で示す

● 具体的な行動　＋「ありがとう」のセットで伝える

● スキンシップをとりながらほめるのも効果的

● 親の感情で叱らない（怒らない）

● なぜ注意されたのかが子どもにわかるように話す

● 子どもの行動には理由がある。まずは子どもの言い分を聞く

● 自分の都合で叱らない

● 脅かしや交換条件で親の言うことをきかせようとしない

● ほかの子どもと比較しない

● 子どもの存在自体を否定しない

● 簡潔に話し、いつまでも
引きずらない

● そのとき、その場で注意する

● 子どものよいところを前後に挟んで伝える
（サンドイッチの話し方）

● 日によって言うことを変えない

叱るときの
ポイント

叱ってばかりで、親も子もつらい

5歳の息子は、何度言っても、服は脱ぎっぱなし、おもちゃも片づけず、帰宅後手も洗いません。食事も食べこぼしがひどくて、一緒にいる間は声をあげてばかり。お互いつらいです。

**「ここだけはしっかり注意する」という
最低限のラインを決めて。
あとは半分目をつむる**

　子どもの行動には、つい注意したくなることがたくさんありますね。でも、子どもの一挙一動に目を光らせていると、親も子も息がつまってしまいます。子どもは、親だけでなく社会も一緒に育ててくれるもの。あまり気負わず、年齢に応じて、ここだけはしっかり伝えるというラインをつくり、ほかは半分目をつむりましょう。

　5歳であれば、ただ「片づけなさい」と言うだけでなく、「これでいいのか」「なぜこれではだめなのか」「どうすればいいのか」を本人に問い、子どもの考えを引き出すことが必要です。

　一方的に指示されたことより自分で考えたことは記憶に残りやすく、定着しやすくなります。

子どもの発達に応じた伝え方

0・1歳児	叱る必要はない年齢。危険な行動だけ「危ない」と言いながら素早く止めるなど、体を使って伝える。
2 歳 児	他人に迷惑がかかるときや危険な行動は、短くわかりやすい言葉で伝える。自己主張に対してはすぐに叱らず、まずは受け止める。
3 歳 児	何が悪いかわかっているので、そのうえでの言動には、毅然とした態度で注意する。
4 歳 児	ルールを守ろうとする気持ちが芽生える年齢。まわりの状況を見て、自分の行動に気づかせることも必要。
5 歳 児	善悪を判断する力が育つ時期。悪いとわかったうえでの行為には、「なぜそうしたか」を聞き、どうすればよかったかを一緒に考えて。

脅かす台詞を使ってしまう

夜、なかなか寝ようとしないときや、公園から帰りたがらないときなど、つい「おばけがくるよ」などと脅かして言うことをきかせようとしてしまいます。よくないでしょうか。

 年齢が上がると通用しなくなる。
子ども自身が「それがしたいから」
行動する方向へ促して

　親が子どもの恐怖心をあおったり、脅し文句を使うと、そのときは親の言うことをきくかもしれません。しかし、親がなぜ言うことをきかせようとしているのかを子どもが理解できないので、いつも同じような場面で注意することになります。そして、年齢が上がってくるに連れて、脅し文句は現実には起こらないと気づき、親の言うことをきかなくなってしまいます。

　または、子どもが萎縮して自分の気持ちを話せなくなるなどの影響を受けることもあります。

　「怖いことがあるから」ではなく、子どもが「それをしたいから」行動する方向にもっていきましょう。例えば、帰りたがらないときには、「しりとりをしながら帰ろう」「今日は電車が見られるかな？」など、期待感で自ら行動したくなるような言葉をかけ、行動を促しましょう。

 基礎知識

親の養育態度と子どもの育ちへの影響

親の態度		子どもの育ち
・脅かしたり、強制したりなど支配的	→	・不安感が強い、消極的など
・ほったらかし、無視など無関心	→	・気持ちが不安定、神経質、乱暴など
・口うるさい、心配して先まわりするなど、過干渉	→	・挫折に弱い、話しを聞き流すようになるなど
・子どもの要求に従うなど服従的	→	・自由奔放、反抗的、乱暴など

園ではききわけがいい子なのに、家ではわがまま

園では先生の話をよくきき、落ち着いているとほめられる4歳の娘。でも、家ではすぐに癇癪を起こし心配です。あまり叱らないようにしているのですが、もっと厳しくしたほうがよいのでしょうか。

こころのバランスをとっている姿の現れ。叱らず、外でも子どもがリラックスできるような配慮を

家の中と外で子どもの様子が違うのは、よくあることです。子どもは複数の環境のなかで、自分なりにこころのバランスをとっています。家と外、どちらかでこころが解放できているのであれば心配いりません。

しっかりやらなければと思いすぎる子、人見知りや緊張しやすい子、気づかいしすぎる子の場合、こうした姿が表れがちです。幼児期に厳しく注意されたり叱られることが多いと、このような姿がさらに強く表れることが考えられます。

叱る・叱らないではなく、外や園でも子どもが緊張せず「失敗しても大丈夫」という楽な気持ちで過ごせるような言葉をかけ、見守ってください。

子どものわがままや要求の背景と対応

スキンシップや気持ちの共有を求める情緒的なもの

・年齢も頻度も制限する必要がない

・人に対する基本的な信頼感を育てるためにも、親はしっかりと受け入れることが大切

・要求が多い場合は、何となく不安や寂しい気持ちがあることも。「大きくなったのだから我慢しなさい」などと抑えつけると、子どものこころは満たされず、要求が激しくなったり、こころを閉ざす場合もある

具体的な物を欲しがる物質的なもの

・制限する必要がある

・過剰に欲しがる場合は、その物が欲しいわけでなく、自分の要求をどこまで聞いてくれるのかを試していたり、愛情を確認したいという気持ちが隠れていることもある

叱ると、泣いて
手に負えなくなる

2歳の息子は、叱られると泣きわめいて手に負えなくなります。先日は、食べものをおもちゃにして遊んだので取り上げると、それが気に入らず激しく泣き、大暴れしました。なだめようが叱ろうがおさまらず、疲弊する日々です。

 子どもの「泣きたい気持ち」を受け止めて
刺激せず、ゆったり待つ

　手がつけられないほどに感情が高ぶっている子どもに対しては「無刺激」が基本です。これは無視するのではありません。新たに何らかの刺激（叱る、押さえつける、怒鳴るなど）を加えることで、いま以上に感情を高ぶらせてしまうことを避けるのです。

　泣きわめいている感情がエスカレートすると、引きつけを起こしたり、けがにつながることもあります。安全な環境のもとで、「泣きたい気持ちなのね、わかった」「泣き止むのを待っているね」と伝え、「ゆったり待とう」と割り切って、癇癪が落ち着くのを待ちましょう。

　その後、子どもが泣きやみ、自分から言葉を発したり行動があったときは「自分で泣くのをやめたね」とほめて、スキンシップをはかりましょう。

イヤイヤ期（第一反抗期）の理解

時　期	・自我が芽生え始める1歳半〜2歳頃から。4歳頃には落ち着く
背　景	・感情をうまく言葉にすることができず、自分の意思が伝わらないもどかしさがイライラに変わる ・脳の前頭前野が未発達で、欲求を抑制することがむずかしい
特　徴	・自分の思い通りにしたいという気持ちから、何に対しても「イヤ！」と拒否する ・泣いたりわめいたりして抵抗する
対　応	・自立への第一歩だと受け止め、できるだけゆったりと見守りたい ・親の育て方のせいではないので、自分をせめない

5

叱ると落ち込む娘への対応は?

4歳の娘は私に叱られた後、部屋の隅に座ってじっとしていたり、ものにあたったりし、機嫌がよくない状態が続きます。長いときは2〜3時間引きずることもあり、対応に悩みます。

ほめてから注意し、またほめる 「サンドイッチの話し方」で伝える

落ち込みやすいタイプの子どもや、自己評価の低い子どもに注意をするときは、「サンドイッチの話し方」がおすすめです。

まず子どものよいところをほめ(「○○ちゃんは、いつもお友だちにやさしいよね」など)、次に本題として注意をし(「でも、さっきの行動はよいことかな?」など)、最後にもう一度ほめるようにします(「本当はよくわかっているんだよね」など)。

注意される前後に認められることでこころが安定します。自分が否定されたという印象がなく、あらためるべき部分もしっかりと記憶に残る、効果的な話し方です。

落ち込みやすいこころの背景

すぐに落ち込む、しばらく機嫌が直らないという子どもには、次のようなこころの背景が考えられる。

① 気質的、性格的な要素
②「こうすればやさしく声をかけてもらえる、許してもらえる」と考えている場合
③「お母さんに嫌われている」「悪い子なんだ」という自己否定の思いがある場合

②③の場合は、親が気づかないうちに子どもを否定するような言葉を使っていることが考えられます。

公共の場でじょうずに叱るには?

公共の施設やスーパーマーケットなどですぐに走りまわる5歳の息子。いくら止めても言うことをききません。大きな声で怒鳴るわけにもいかず、あとで強く叱っても反省せず、同じことのくり返しです。

A ルールを守らないとどうなるか、
子どもが自分で考える時間をつくる

公共の場には、「走らない」「大きな声で騒がない」など、様々なルールがあります。

子どもがそのルールを守れないのは、その必要性や危険性を理解できていないことが考えられます。そこで、ルールを守らないとどうなるか、まずはその場で子どもに考えさせます。「走るとどんな危ないことがある?」「人にぶつかったらどうなる?」など、リアルな状況を想像できるようにしましょう。

5歳であれば、帰宅後などに、落ちつける場所で「なぜルールがあるのか」「ルールがないと(社会は)どうなってしまうのか」ということまで考える時間をつくれるといいですね。

基礎知識

ルールの伝え方ポイント

子どもにルールを示す場合は、何をしてはいけないかではなく何をするべきかを伝えると、子どもは受け入れやすく、実行しやすい。

(例)

「走らない」	→	「手をつないで歩こう」
「騒がない」	→	「お口を閉じて、座っていてね」
「動いちゃだめ」	→	「ここにいてね」
「けんかしない」	→	「仲よくしようね」

何をどうほめたらいいか わからない

「子どもはほめて育てるのがよい」と聞きました。が、うちの5歳の息子は、おもちゃは散らかしっぱなし、手伝いを頼んでも失敗ばかり、おけいこごともいやがってやめてしまい、弟と遊んでばかりいます。ほめるところが見つかりません。

できた結果ではなく、子どもがしていることをそのまま認める

むやみにほめるのがよいわけではありません。また、何かがじょうずにできたとか、よいことをしたといった結果をほめるのは、子どもが評価されることに敏感になり、大人の顔色をうかがうようになる可能性が大きいです。

子どもにとって必要なのは、その存在を肯定されることです。子どもがしていることをそのまま認める言葉をかけてください。

「手伝ってくれたんだね」「○○くん（弟）の相手をしてくれてありがとう」といったことです。それが、自分はここにいていいんだ、このままでいいんだ、という根源的な自信＝自己肯定感につながります。

評価する子育ての弊害

むやみにほめると…	控えたい表現
・ほめられたいから行動する	・いい子
・他人の評価を必要以上に気にする	・えらい
・ほめられないと自分が認められていないと感じる	・すごい
	・じょうず

ほめても叱っても「イヤ！」

最近、何をするにも「イヤ！」と主張する2歳の娘。服を自分で着ようとしてうまくできないと怒って服を放り投げたりします。手伝おうとすると「イヤ！」。なるべくほめるようにしますが、そのうちイライラして声をあげてしまいます。

 ## 親子の信頼関係を育む時期。
「待つ・任せる・見守る」とこころに言い聞かせて

　子どもの「イヤ！」につき合うことは忍耐のいることですが、「イヤ」が始まってからの子育てのポイントは、「待つ・任せる・見守る」です。これは子どもの思いを尊重し、安全な環境で子どもの意欲を見守るということです。

　親は、ほめる・叱ることで言うことをきかせようとするのではなく、「これが着たいんだよね」「自分でやりたいんだね」と子どもの思いを代弁・共感し、「待っているよ」という姿勢をみせましょう。

　子どもが自分でしようとしてうまくできないでいるときは、さりげなく手助けをして、「自分の力でできた」という達成感を感じられるようにしましょう。

　ただし、怒ってものを投げるという行動は危険が伴うため、発達に応じて短くわかりやすい言葉でしっかりと注意する必要があります。

子どもの「イヤ！」への対応法
※「イヤイヤ期の理解」(p.17 参照)

子どもの感情を受け止め言葉に出して共感する	「自分でしたいのね」「泣きたいのね」　など （感情を否定しない） 「〇〇がイヤなのね」「これが着たいのね」 「〇〇がほしかったのね」　など

Message

「ねばならない」から自分を解放し、
肩の力を抜いていまを楽しみましょう

Message

子育ては、うまくいかないことだらけ。
失敗しながら親子で成長していきましょう

なんちゃってポテト

魚を全く食べない娘

おさかなイヤッ！

そんな娘にポテト似の白魚の天ぷらを

ハイポテト

おいしい

モグモグ

なんでも食べられてえらいね〜

成功♥

グフフ

ママーー！！！

一瞬だったな・・・。

このポテト目が＊ある—

イヤー キモイー

23

友だちの使っている
おもちゃを取ろうとする

　3歳の娘は、自分の使っているおもちゃは貸さず、友だちの使っているものが欲しければ力づくで取ろうとします。自己中心的な子どもになってしまうのではと心配です。

A 自己主張は成長の証。
大人が思いを言葉で代弁して

　3歳くらいまでの子どもにとって、「そのおもちゃが欲しい」と自己主張できることは順調に成長している証です。叱る必要はありません。友だちとトラブルになりそうなときは、大人が間に入り、「貸してほしかったのね。貸してって言おうね」とくり返し伝えましょう。

　相手から「いや！」と言われたり、自己主張がぶつかってけんかになることもありますが、それは子どもにとって学びのチャンス。「自分と同じように相手にも気持ちがある」ということを知る大切な経験です。これらの経験を積むことで、少しずつ、「どうしたらうまくいくのか」が考えられるようになっていきます。

社会性の発達　① 0～3歳頃
※「社会性の発達　② 4～6歳頃」（p.30参照）

8か月頃～	・知っている人と、知らない人の区別がつき始め、人見知りが始まる
1歳3か月頃～	・ほかの人や子どもへの興味が広がり、かかわりを求めるようになる ・ほかの子のおもちゃを取ったり欲しがったりするようになる（同じもので遊びたい気持ちの表われ）
2歳頃～	・大人の表情を見て、よい・悪いを判断できるようになる
3歳頃～	・特定の友だちができたり、一緒に遊びたがったりする ・子ども同士の遊びは、まだ「並行遊び」 ・「貸して」「どうぞ」のやりとりができるようになる

場面別　ほめ方・叱り方

10

園や公園の帰り、「帰らない」
と泣いてごねる

園のお迎えや、公園からの帰りには、「まだ遊びたいから帰らない」と泣く息子を無理やり連れて帰る毎日。叱ろうがなだめようがききません。叱らずにすむ方法が知りたいです。

 子どもに、「いつまで」とラインを決めさせる

「まだ遊びたいんだよね」と、まずは子どもの気持ちを言葉にして受け止めましょう。気持ちをわかってもらえたと感じると、子どものこころは落ち着きます。その後、「すべり台をあと何回したら終わりにできる？」などと聞き、子どもが自分で終わりを決めて答えられるようにしましょう。「じゃあ、あと少しだけね」などと曖昧な区切りにすると子どもには理解しにくく、後で同じようにごねることになります。子ども自身が見通しをもって終わりにできることが大切です。

そのうえで、なぜ子どもがまだ帰りたくないのか理由を探ります。多いのは、玩具や遊びに対する執着です。その場合、担任に遊んでいる玩具を覚えておいてもらい、「大丈夫、また明日、続きができるよ」と遊びの保障をすることで、安心して帰れることもあります。

 基礎知識

「帰らない」と言う子どものこころの背景

子どもが「帰りたくない」という場合、玩具や遊びへの執着が理由であることが多いが、「家に帰りたくない」ほかの理由が隠れていることも。それを見極め、改めることが必要。

子どものこころの背景

☐ 家で叱られることが多い

☐ ピアノの練習やワークなど、しなければならないことが待っている

☐ きょうだいがいて家では親にあまり構ってもらえない

☐ 家で自由にさせてもらえない

☐ 遊ぶ相手（きょうだいなど）がいなくて寂しい

☐ 家族の仲が悪く、家の雰囲気が暗い

うそをつく

4歳の娘が、うそをつくようになりました。最近も、おもちゃを壊したことを妹のせいに。どのように叱ったらよいのか悩みます。

頭ごなしに叱らないで。
自己肯定感が高まればうそは減る

叱られないためにうそをつく行為の背景として、日常的に叱られていることや、自己肯定感の低さが考えられます。叱られたことのストレスを何らかの方法で晴らそうとおもちゃを壊し、叱られたくないからうそをつく、うそをついたことでまた叱られる、という悪循環になっているのかもしれません。

このような場合、うそに気づいても、子どもを追い込んだり、頭ごなしに叱るのはやめましょう。「本当のことを話してくれるまで待っているね」と、自分から事実を言えるように促します。子どもの言い分を聞く姿勢を示していると、子どもは「お母さんはきっと私のことをわかってくれる」「正直に話してみようかな」と考えるようになります。

子どもが正直に言えたときは、「本当のことを話してくれてうれしいよ」と十分に認めましょう。" 正直に話せば喜んでくれる・ほめられる " という経験を重ね、自分は認められているという自己肯定感を高めることで、このようなうそは減っていきます。

子どものうその種類と対応

	叱られたくないための保身のうそ	周囲の注目をひくためのうそ	空想の入り混じったうそ
原因	自己肯定感が低い	周囲に認められたい思いがある	空想の世界を楽しんでいる
対応	小さなことでも認め、自信をもてるようにする	スキンシップを多くとるなど「いつも見ているよ」というメッセージを送る	こころが育っている表れであり、心配する必要はない

片づけない

おもちゃを次から次へと出して遊ぶ5歳の息子。「片づけな
さい！」と言ってもまったく片づけようとしません。どうし
たら片づけられる子になるのでしょう。

 親子で楽しく一緒に片づけて
「きれいになって気持ちいい」を共有

　幼児期の子どもに片づけの必要性をわかってほしいと思っても、理解するのは
むずかしいことです。「片づけないなら全部捨てるよ」などと脅して片づけさせ
ると、「片づけ＝怒られる＝いやなこと」とマイナスのイメージになってしまい
ます。

　子どもに片づけの習慣をつけたい場合、親子で一緒にゲーム感覚で楽しく片づ
けることもおすすめです。そして、「きれいになると気持ちがいい」という感覚
をくり返し経験することが大切です。

　例えば、「色さがし競争」。「青いものと赤いものとどっちを片づけたい？」と
子どもに選ばせて、「どっちが先に片づけられるか、よーいドン！」と、親子で
競争してみましょう。「大きなものと小さなもの」「柔らかいものと硬いもの」など、
いろいろなカテゴリーで片づけを楽しんでみてください。

子どもにも片づけやすい収納の工夫

片づけを習慣にするには、子どもが楽しく片づけやすい収納を工夫することも大切。

（例）

視覚的に工夫する

側面に入れるものの写真を貼っておいたり、箱を用
意し、色別におもちゃを分類するなど

物語性をもたせる

人形はベッドに見立てた平たい箱に、ミニカーは駐
車場に見立てた仕切りのある箱に片づけるなど

13

おもちゃを乱暴に扱う

2歳の息子はおもちゃを投げたり、踏んだりしても平然としています。「やめなさい」「壊れちゃうよ」と注意すると、そのときはやめてもまた同じことのくり返しです。

A 3歳頃までの子どもには「アニミズム」を利用してものの気持ちを想像できるようにする

ものを大切にする気持ちを育むには、ものの気持ちを想像できるように促すことが効果的です。幼児期の思考の特徴として、命のないものをあたかも意志があるかのように擬人化して考える「アニミズム」という心理作用があります。

「壊れちゃうよ」ではなく、ものに向かって「痛かったよね」と伝え、やさしくなでてみせましょう。

時期が来たら、生きているものと無機的なものの区別をしていくようになるので、個人差はありますが4歳前後になったら、「ものが壊れたらどうなるか」「まわりの人や自分はどんなふうに困るのか」を話していきましょう。

 基礎知識

アニミズムと幼児における心理作用

アニミズム

生物、無機物を問わず、すべてのものの中に魂が宿っているという考え方。

幼児の心理作用としてのアニミズム

⇒ 積み木や食べものにも生命や意志があると考える。
・「くまさん（ぬいぐるみ）が泣いているよ」と言われると、やさしくなでたりする
・太陽や花などの絵に、目や口を描く

14

「これを着る!」と譲らない

4歳の娘は毎朝、自分で選んだお気に入りの服を着たがります。私が何を出しても気に入らず、怒って泣き叫びます。毎日のように登園前にくり返されるバトルに、ほとほと疲れてしまいました。

A 親が大枠を決めて
あとは子どもが自由に選ぶとスムーズ

子どもは1歳半頃から自我の芽生えとともに「自分の力で何とかしたい」という気持ちが強くなり、何でも「イヤイヤ」という第一次反抗期が始まります。3歳を過ぎる頃から「イヤイヤ」は減りますが、「何でも自分でやりたい」という気持ちは残り、言うことをきかされることに反発を覚えます。

このような時期は、「こうしなさい」ではなく、「この中で好きなものにしていいよ」とプラスの言葉で伝えましょう。洋服なら、親がいくつか選択肢を提示し、その範囲内で子どもが自由に選びます。寒いのに半袖を着たがる場合や、暑いのに長い靴下をはきたがる場合は、引き出しの中を着てもよいものだけにして、子どもが何を選択しても問題ないようにしておきましょう。

達成感を育む支援のポイント

「自分でやった」という達成感が得られると、子どもは新しいものごとに挑戦しようとする意欲が育まれる。そのために、「手伝ってもらった」を感じさせない支援の工夫が必要。

(例)
・自分で選んだ気持ちになるよう、選択肢を用意する
・自分でできたと感じられるように、衣類なら、一人で着られるものを用意する
・親が手本となりながら、子どもは子どもでおこなう
・クッキングなどでは、盛りつけ、仕上げを子どもがする

友だちを仲間外れにする

　5歳の娘は「お家ごっこ」がお気に入り。子どもの話を聞いていると、いつも同じ友だちの名前しか出てきません。「ほかの子は入らないの？」と聞くと「〇〇ちゃんはピンクの服を着てこないから入れないの」などと意地悪をしている様子。どのように話せばよいでしょうか。

どんな理由があっても意地悪をしてはいけないと真剣に伝える

　子どもは少しずつ友だちを選んで遊びたがるようになります。遊びの内容やその遊びの得意な子と遊ぼうとするからで、自然な発達の姿です。子どもには仲間外れにしている気持ちはないかもしれません。ただ、5歳ならば、相手の気持ちが想像できる年齢です。仲間に入れてもらえない友だちがどんなに寂しい思いをしているか、もし自分が同じことをされたらどうか、真剣に問いかけます。

　また、友だちにいやな思いをさせている子は、まわりの友だちにどう思われているかについても考えさせましょう。「意地悪をする子と一緒に遊びたいか」「意地悪な子にやさしい友だちができるのか」など、意地悪なことをしてもよいことは何もない、と感じるように話しましょう。

社会性の発達　②4〜6歳頃

※「社会性の発達　①0〜3歳頃」（p.24 参照）

4歳頃	・友だちと競争をして勝ちたい、という気持ちが強くなる ・負けると悔しく、けんかになることもある ・人から見られる自分に気づき始める ・友だちの気持ちに気づけるようになる
5歳頃	・同じ目的をもった活動を友だちとおこなうようになる ・友だちを選んで遊びたがるようになる ・道徳的な基準が備わり始め、反道徳的な行為をする子やルールを守れない子を非難することがある
6歳頃	・友だちと遊ぶことが楽しくなり、子どもの世界を広げる ・仲間同士、話し合いをして何かを決めることができるようになる

16

PART
1

園の先生から注意があった

園の先生に「友だちを叩いて困ります。おうちでよくいき
かせてください」と言われてしまいました。これまでも厳し
く注意してきましたが、何も変わりません。どう対応したら
いいのでしょうか。

 叱る前に、まずは子どもの共感者に

　子どもの行動には理由があります。こころが穏やかで安定しているときは、人
やものに対して乱暴な行動はとりません。乱暴な行動や怒りは「誰か自分の気持
ちをわかって」というサインです。頭ごなしに叱られるだけでは、子どもは自分
の気持ちを否定された悲しさでこころを閉ざしてしまいます。

　叱ったり、注意をする前にまずは、子どものこころの共感者になりましょう。「な
ぜそういうことをしたくなったの？」と聞き、「それほど怒りたい気持ちだった
のね」と受け止めます。すると子どもは「気持ちをわかってくれた」と落ち着く
ことが多いもの。そのうえで「さっきは悔しくてこういうことをしてしまったけ
ど、友だちはどんな気持ちかな」「どうしたらよかったかな？」と、相手の気持
ちを想像できるように促し、子どもの言葉を待ちましょう。

　自分で考えて出した答えは、子どもの記憶に深く残り、そのくり返しは少しず
つ、たたく行為のブレーキになっていきます。

子どものこころに寄り添う
カウンセリングマインド

カウンセリングマインドとは

相手のこころの問題や悩みの相談にのり、援助をするときの心構えや態度のこと。

子どもと向き合う際に意識したいカウンセリングマインド

・子どもの気持ちを共感をもって受け止める
・子どもの可能性を信じる
・こうあるべきと決めつけない
・子どもから学ぶこともたくさんあると、謙虚な気持ちで接する
・子どもが自分で気づくのを待つ

テレビやゲームをやめない

テレビやゲームの時間を決めても守らず、「やめなさい！」「約束だよね」と叱ってもききません。自宅で仕事をしているため、ついついテレビやゲームに子守りをさせてしまったことも悪いと思うのですが。

 テレビやゲームの後に
親子のコミュニケーションを用意

　テレビやゲームの時間を守るためには、子どもが自分で終わりの時間を決めること、そして、終わった後に待っている楽しみがあるといいですね。仕事などで一緒に遊ぶ時間がないのなら、例えば掃除や洗たく、食事の支度を手伝ってもらうのはどうでしょう。子どもはお手伝いが大好き。「やらされる」のではなく、「やってみたい」と思えるような作業（料理なら、こねる、ちぎる、丸めるなど）を一緒にしてみましょう。

　遊びを切り上げる習慣がつくまでは、約束をした時間に食事の支度を始めるようにするなど、おうちの人の配慮も必要です。

時間を守る習慣づけの工夫

親が　やめさせる〞のではなく、自分で約束を守って　やめた〞と感じられる工夫をする。

（例）

タイマーや目覚ましを子どもに「セット」させる

「この番組が終わったらテレビは終わり」「ゲームは 30 分ね」と約束をし、それに合わせてタイマーや目覚ましを設定し、「セット」を子どもにさせる。

自動で電源がオフになる設定を使う

3・4 歳まではまだ「時間」を理解できない。「これを見たら終りね」と伝え、時間が来たら画面が暗くなることをくり返し経験させて、「終わり」を理解させる。

話しかけても返事をしない

話しかけても返事をしないことがよくあります。「聞こえて
いるなら返事をしなさい」と言っても無視。大きな声で叱る
と、イヤイヤ返事をする感じです。しっかり話を聞いてほし
いのですが。

話し方、タイミングを見直して

　日頃、子どもの行動に対しての声かけや注意が頻繁ではあ
りませんか。怒った口調、イライラした口調で話しかけてい
ないでしょうか。

　子どもが話を聞かない場合、「多くのことを言われすぎてい
て返事をするのが面倒」または「何かを強く言われるストレスから自分を守って
いる可能性」もあります。これは脳の自己防衛本能によるもので、意図的に無視
しているわけではなく、ある意味、本当に聞こえていないこともあるのです。で
すから、さらに叱ることで返事を求めるのは逆効果です。

　子どもの思いやタイミングを一度、考えてみてください。

基礎知識

子どもが話を聞く気になる工夫

（例）

マイナス語をプラス語に言い換える

「残すと大きくなれないよ！」　→　「食べると大きくなれるね」

視覚的な力を借りる

子どもは目に入るものにこころが向く傾向がある。
「片づけなさい！」　→　「積み木をこの箱に入れよう」

子どもの好きなものを登場させて話す（ユーティライゼーション）

相手の興味・関心に合わせた話し方をすることで、耳を傾ける効果がある。
「早く起きなさい！」　→　「お隣のポチはもう起きてるかなぁ？」

19

道などで走り出す

4歳の息子は、園からの帰り道などですぐに走り出します。危ないので「待ちなさい！」「走らないで！」と言うのですが、言うことをききません。追いかけて手を取り、「何度言ったらわかるの！」と怒りながら帰宅する毎日です。

 ## 3歳を超えたら道路の危険性と怖さを厳しく言い聞かせて

なぜ「子どもが走りたくなるのか」を観察してみましょう。親が迎えに来てくれた安心感に、屋外に出た解放感が加わり、発散したいのかもしれません。または、早く家に帰りたい思いがあるのかもしれません。それを見極めたうえで、3歳をすぎたら、道路の危険性と怖さをしっかり知ることが必要です。大人が真剣に厳しく伝えるとともに、映像や絵本で、自分の命を守るためにどうしたらいいのかを子どもが感じられるようにしましょう。

3歳までは手をつなぐ約束をします。「今日はどの指をつないで歩こうか」と、つなぐ指を子どもに選ばせたりして、手をつなぐことが楽しみになるような工夫をしてみましょう。

真剣に話す・叱る必要があるときとは

子どもが泣いたとしても厳しく注意することが必要な「とき」がある。理屈ではなく「いけない」としっかり伝える。

> 自分の身に危険があるとき

> 人に迷惑をかける、けがをさせる危険性があるとき

> 悪いこととわかっていて、その行動をしたとき

「欲しい」「やりたい」が 我慢できない

スーパーに行くと必ず「がちゃがちゃ」をやりたがります。「今日はやらない！」と言っても頑としてその場を離れず、手を引くと大騒ぎになり、こちらが折れてしまいます。取ったおもちゃは放置し、遊びません。

何か一つルールを決めて。 おうちの人も折れないことが大事です

　自分と子どもとの間でルールをつくりましょう。スーパーから帰る際、何か一つ約束ごとを決め、「それができたら次に来たときに買う」というルールにします。

　約束する内容は、いま、子どもの課題になっていることがいいでしょう。例えば、「いまから帰るまでお店や道路を走らない」「帰ったら、靴をそろえる」などです。それができたときは、たくさんほめて認めましょう。

　子どもは、自分で努力して手に入れたときに達成感や喜びを感じ、こころが育ちます。また、自分で努力して手に入れたものは、何もせずに買ってもらったものよりも大切にする気持ちが生まれるはずです。

基礎知識

感情をコントロールする力を育む対応

好き、嫌いの気持ちがはっきりしてくる3歳頃から、感情をコントロールする力を育てていく。

（例）

キッパリした態度をとる

好きでもやれないこと、嫌いでもやらなくてはいけないことがあることを学ぶ。

友だちとのケンカをすぐに止めない

様子を見て間に入り、互いの気持ちを言葉で代弁するなどし、気持ちをしずめる経験をくり返す。

同じ世界にいたいの

ほめる・叱るは、「こう育ってほしい」を伝える親からのメッセージです

大切なお気に入り

いいお天気なのにレインブーツ？

いいのー

翌日

レインブーツは雨の日にはくんだよー

いいのー

また翌日

クス♥

まぁいいか

♪

雨のある日

今日こそはこうよ

ぬれるからイヤー

ブジャ

ブジャ

Message

子育ては、「ま、いっか」と気楽に考えることも大切です

PART 2

生活習慣・生活の自立

早寝・早起き、片づけの習慣、
トイレや着替え、食事の自立……。
「身につけさせなくては」と考えると
プレッシャーになりますね。

親は子どもの自立を
応援することが大切です。
子どもの「自分でできた！」を
一緒に喜びながら
しっかりサポートを
していきましょう。

パパの失言

おもちゃ使ったらそれぞれおうちに帰してあげようね
ショウくんもおうちに帰れなかったら困るでしょ
ばら
ばら
おー珍しいね
明日は雨が降るかもなー
きちんとお片づけ
え…！
ばら
明日えんそくだから雨はいや！
よけいなことを……

身につけたい生活習慣

子どもの健康・発達のベースになるのが
「睡眠」と「食事」にかかわる生活習慣です。

早寝

子どもの成長に欠かせない「成長
ホルモン」は眠っている間に分
泌されます。大事なのは、**暗い
環境でぐっすり眠ること**。
日中元気に遊び、就寝直前のテレ
ビや食事を避け、子どもが熟睡で
きる環境を整えましょう。早起き
のためにも、午後9時には寝る習
慣をつけたいですね。

早起き

人は朝の光を浴びると、セロトニン
という物質が分泌されます。これは、
脳とからだを覚醒させ、日中の活動
をしやすくするとともに、こころの
バランスを整える働きがあります。
子どもが一日元気に過ごすには、
朝の光を浴びることが大切です。

朝ごはん

朝ごはんで、脳のエネルギー源であるブ
ドウ糖を補給します。ブドウ糖は体内に
大量に蓄えておくことができないため、
午前中、子どもが元気に活動するために
は朝ごはんを食べることが大切です。
よくかんで食べることでセロトニンの分
泌も増えます。

子どもが生活習慣を獲得し、生活の自立をするために

早寝・早起きや、家族で食事など、
「わかっているけれどできない」こともあるでしょう。
できていることは継続し、
いまできていないことは、日ごろから念頭において
できるだけ心がけるようにします。

● 朝はできるだけ同じ時間に起こす。寝室のカーテンを
　開けて「おはよう」

● 家族で「おはよう」「いってらっしゃい」「いってきます」
　のあいさつをする

● 家族で朝ごはんを食べる（子どもだけで食べさせない）

● 食事のときは「いただきます」「ごちそうさま」を忘れない

● 着替え、食事などの「自分でやる」ことには、
　なるべく手を出さず見守る

毎日
心がけたい
10 項目

- 子どもの「自分でできた！」に一緒に喜ぶ

- １日数時間、できるだけ外でからだを動かして遊ぶ

- 外から帰ったら手洗い・うがいをする

- 片づけができたら、
  「きれいになると気持ちいいね」を共感する

- テレビやゲームなどは家庭のルールを決めて守る

Q

夜ふかしを改善したい

　３歳の息子は夜、父親の帰宅を待っていて、寝るのが午後10時を過ぎることがほとんど。朝はスッキリ目覚められず、不機嫌なまま登園することになります。生活を改善したいのですが父親とのふれあいも大事だと思うし、悩みます。

まずは睡眠が大切。
休日にたっぷりふれあうなどの工夫を

　父親とのふれあいも必要ですが、子どもにとって睡眠は大切。少なくとも夜10時までには寝ないと、心身の成長に影響があります。目覚めもスッキリせず、園でも活発に活動できません。

　それを父親に伝え理解してもらったうえで、子どもとふれあう時間帯をみつけましょう。例えば、父親も早起きして一緒に朝ごはんを食べる、手をつないで登園する、平日はあきらめて休日にたっぷり遊ぶ時間をとるなどです。家族で話し合いながら、家庭のなかでのベストな生活リズムをつくってください。

早寝・早起きを習慣づけるには

・夜早く寝るよりは、早く起きることから始める

・寝る少し前からテレビを消し部屋の電気は暗めにするなど、
　静かで落ち着いた雰囲気をつくる

・布団に入ってから読み聞かせをするなど、入眠準備の習慣をつくる

生活習慣の悩み

Q 2

親の生活リズムの乱れに
子どもを巻き込んでしまう

仕事柄、帰宅後もパソコンに向かわざるを得ないことが多く、
その間、子どもは放ったらかし。ごはんの時間も入浴の時間
も定まっていません。子どもへの悪影響が気がかりです。

まずは夕食、入浴をすませてから
仕事を習慣に

　仕事が忙しいのはわかりますが、子育てにおいて一定の時期は子ども優先にす
ることが大切です。帰宅後は、まず夕食、入浴をすませ、子どもを寝かせてから
パソコンに向かうように工夫しましょう。

　帰宅後すぐにごはんが食べられるよう、朝のうちに夕食の準備をしておいたり、
休日に作りおきをしておいて平日の負担を減らすなど工夫してみては。

　短くても充実した子どもとの時間を過ごすようにしながら、いましかない子育
てを楽しんでください。

子育て家庭におススメの時短おかず

1品で2役！　具だくさんスープ

豚汁やけんちん汁、ミネストローネなど
・1品でおかずとスープの役割が果たせ、栄養がしっかりとれる

煮込み時間短縮！　ひき肉メニュー

キーマカレー、ミートソースなど
・みじん切りにした野菜とひき肉を使えば煮込む時間が短くて済む
・小分け冷凍保存にもぴったり

手間いらず！　魚缶メニュー

さば缶、サケ缶、ツナ缶など
・チャーハンに、サラダに、スープに入れれば、手間なく栄養アップ
・そのまま盛りつけてもプラス1品

ついスマートフォンを与えてしまう

外出先や家事をしたいときや、乗りものなどで静かにしてほしいとき、ついスマートフォン（以下、スマホ）を与えてしまいます。気づけば、1日数時間させていることも……。何か弊害があるのではと気がかりなのですが。

罪悪感があるなら、与え方を見直すチャンス！スマホに頼らずにすむ方法を工夫

外出先で静かにしてほしい、家事は集中して終わらせたい、そんなときに無条件で静かになるスマホを与えたくなる気持ちもわかります。時代とともにスマホは身近なものになり、必ずしも全否定はできません。

しかし、罪悪感があることについては見直したいですね。1日の使用時間を決めるほか、外出先には絵本や折り紙を持っていく、子どもと遊んで満足させてから家事をするなど、スマホに頼らないですむよう工夫しましょう。

外出時、子どもを飽きさせない工夫

電車の中や病院などの待ち時間には、その場で静かにできる遊びを。

小人さんの手遊び

子どもと普段楽しんでいる手遊びを、小さな声と小さなジェスチャーで

探しものごっこ

座っている場所から見えるものを問題にして探しっこ

生活習慣の悩み

テレビ・DVDを消すと怒る

テレビのスイッチを切ろうとすると「まだ見る！」、ＤＶＤは「もう１回！」と騒ぎます。「今日は終わり」と強引に消せば怒り出し、かえって面倒なことに。うまく終わらせられません。

 ## 見始める前に約束し、子どもが自分で
スイッチを切ると納得しやすい

　テレビもＤＶＤも、見ているときに急に「終わり」とスイッチを切られても納得できないもの。見始める前に、時間や回数を決めておくようにします。

　例えば、「この番組が終わったらテレビを切ろうね」と伝えたり、「ピピピッと音が鳴ったらおしまいね」と伝えてタイマーをセットしたりなど、子どもが区切りをつけやすいような約束を考えましょう。

　３〜５歳であれば時計を見せて「針が○になったらやめよう」と話してもよいでしょう。

　なお、スイッチは、子どもが切るようにしたほうが納得しやすい傾向があります。約束が守れたときは大いにほめてあげましょう。

基礎知識

子どもにテレビを見せるときの注意点

・２歳以下の子どもには、テレビ・ＤＶＤを長時間見せないようにする
　（内容や見方によらず、長時間視聴児は言語発達が遅れる危険性が高まる）
・テレビはつけっぱなしにせず、見終わったら消す
・テレビ・ＤＶＤを一人で見せず、親も一緒に見て、子どもの問いかけに応える
・授乳中や食事中はテレビをつけない
・テレビの適切な使い方を約束し、身につけさせる
　（見終わったら消す、ＤＶＤは続けて反復視聴しない）
・子ども部屋にはテレビを置かない

※日本小児科学会「子どもの生活環境改善委員会提言」参照

5 Q

次から次へとおもちゃを
出して片づけない

興味があれこれ移るようで、次から次へといろいろなおもちゃを引っ張り出します。遊んでいないものを私が片づけると、怒ってまた出します。どうすれば片づけの習慣がつきますか？

遊びがひと段落したときに声をかけ、
できたらほめる、をくり返して

様々な事柄・物に興味があるのはとてもよいことです。また、別の遊びに見えても、子どもにとってはイメージをつなげている一つの遊びなのかもしれません。いずれにしても「別の遊びをするときは片づけてね」などとあらかじめ約束しておき、子どもの遊びがひと段落したときに声をかけて、少しでも片づけられたらほめる、をくり返していきましょう。

片づけることを遊びにしてしまうのも一つの方法です。カゴをいくつか用意して「人形のおうち」「車のおうち」などと決め、「おもちゃをおうちに帰してあげよう」などと言いながら片づけたり、おうちの人と一緒に片づけ競争をしたりすると、楽しく片づけられますよ。

子どもが片づけやすい収納の工夫

- ・人形、車など玩具の種類別に片づける場所（カゴ等）を決める
- ・片づけるべき場所にその玩具の写真を貼り、目で見てわかるようにする
- ・年齢や興味に合わせて玩具を取捨選択し、全体の数を減らす

人形はベッドに見立てた箱に寝かせるようにしたり、車は線を引いて駐車場に見立てた箱に並べるようにしたりすると楽しく片づけられる。

生活習慣の悩み

Q6

歯みがきをいやがる

PART
2

歯みがきが大嫌いで、仕上げみがきをしようとすると逃げまわります。「みがかないともう●●食べさせない」とか、「鬼が来て歯を全部抜かれるよ」などと、つい脅してしまいます。

絵本などで正しい知識を伝え 楽しい雰囲気のなかで磨いて

　口の中に物を入れられることは、大人でもよい気持ちはしません。力の入れすぎや長くみがいてしまうことは避け、鏡でみがいている様子を見せたり、歌をうたいながら楽しい雰囲気のなかでみがくようにしたりします。おうちの人の歯を子どもにみがいてもらったり、歯みがき粉の味を子どもに選ばせたりするのもよいでしょう。

　同時に、なぜ歯をみがかなければいけないのかを、脅すのではなく、正しく伝えることも大切です。むし歯が題材の絵本などを読み、「みがかないと自分が痛い思いをする」ことをわかってもらいましょう。

基礎知識

歯磨きが好きになる絵本

『はみがきあそび』
（偕成社）
作・絵／きむら ゆういち

『はみがきれっしゃ
しゅっぱつしんこう！』
（アリス館）
作・絵／くぼ まちこ

『はみがきしましょ』
（大日本絵画）.
作／レスリー・マクガイアー
絵／ジーン・ピジョン
訳／きたむら まさお

お風呂が嫌いで大騒ぎ

お風呂嫌いで、毎日入れるのにひと苦労です。入ったら入ったでとくに髪を洗うのをいやがって、隣家にも聞こえるくらいの声でわめきます。

毎日、しっかり洗う必要はない。
楽しみの時間となるように工夫して

　大騒ぎしてまでお風呂に入るのは、子どもも大人もつらいでしょう。毎日しっかり洗わなくても、ときにはさっとお湯につかったり、汗を洗い流すだけの日があってもよいのでは。子育てには妥協することも必要です。

　そのうえで少しでも楽しくお風呂に入れるようにしましょう。お風呂用の玩具を用意して遊びながら入ってもいいですね。

親子で楽しむお風呂遊び

湯船で波遊び

子どもをひざに乗せて湯船につかり、大人が体をゆらして波をつくる。「大きな波が来たよー。ザップーン」「小さな波だね。ユラユラ」。

洗面器のハンドルで運転ごっこ

子どもをひざに乗せて湯船につかり、洗面器をハンドルにして運転ごっこ。「曲がりまーす」と一緒に体を左右に倒したり、「がたごと道だー」とひざを上下に動かしたり。

シャンプーの泡で変身！

シャンプーの泡をしっかり立てて、泡で「リボン」や「つの」、動物の「耳」をつくる。シャンプーをいやがる子には、親が自分の頭の上でやってみせてから、「やってみる？」と聞いてみて。

生活習慣の悩み
Q8

手伝いができる子にするには?

友人の子が自分から進んで洗濯物をたたんだり、配膳をしたりしているのを見ました。うちの子も（3歳です）自分から手伝いができる子になってほしいと思います。どうすればいいですか？

子どもにできることから手伝ってもらい、感謝の気持ちを伝えながら習慣にしていく

　自分から手伝いができるようになるには、「お手伝いが楽しい」「お手伝いをするとお母さんが喜んでくれる」「ほめられてうれしい」などの経験を積むことが大切です。

　まずは、おうちの人が楽しそうに料理を作ったり、「きれいになると気持ちがいいね」と言いながら洗濯をたたんだりして、子どもに興味をもたせましょう。

　そして、たたみ方を教えながら一緒に洗濯物をたたんだり、お皿をテーブルに運んでもらったりするなど、子どもにできることを頼んでみます。できたら「助かるわ」「ありがとう」と感謝の気持ちを伝え、少しずつ手伝いを習慣にしていきましょう。

子どもができる手伝いと年齢の目安

1～3歳

・料理の下ごしらえ（しめじをさく、レタスをちぎる、ミニトマトのへたを取るなど）
・卵を割る、泡だて器で混ぜる
・テーブルをふく
・洗濯物（ハンカチやタオルなど）をたたむ

4歳～

・料理の盛りつけをする
・配膳をする
・洗いものをする

・洗濯物を取り込む、たたむ（靴下、シャツ）
・郵便物をとり込む
・水やり

自分で着替えようとしない

　4歳ですが、まだ自分で着替えられません。ズボンだけでも一人ではけるように練習させていますが、途中で「できない」と放り投げます。

時間がかかっても見守り、待つのが基本。着替えやすい服を用意することも大切

　練習をしているなら、そのうちできるようになります。焦らず、どんなに時間がかかっても見守り、待ちましょう。どうしてもできないときは「手伝おうか」と問いかけてから手を貸し、最後の部分だけは自分でやらせて、できた喜びを感じさせましょう。

　なお、ファスナーがあったり、きつめの洋服だったりすると脱ぎ着がしづらく、やる気が失せることもあります。少しでも着替えやすいようゆったりした服や、はきやすい半ズボンを用意します。1回でも自分でできたときは十分にほめ、自信をもたせていきましょう。

発達の目安と衣服の着脱の目標

衣服の着脱ができることと運動機能の発達には大きな関係があり、個人差も大きい。子どもの発達に合わせてチャレンジさせることも大事。

1歳	**握ったり、引っ張ったりできる** ・靴下を引っ張って脱ぐ ・スナップボタンを引っ張ってはずす
2歳	**スプーンやフォークなどを使って食べられる** ・ズボンの脱ぎ着ができる ・手を通して上着が着られる
3歳	**はさみやテープなど、手先を使った簡単な作業ができる** ・少し手を借りれば、下着から服まで自分で着られる ・脱いだものをたたむことができる
4歳	**はしを使う、顔を洗うなど、生活に必要な作業がほとんどできるようになる** ・手を借りず、下着から服まで自分で着られる ・ボタンをはめたり、ファスナーの上げ下ろしがスムーズにできる

着替えに手を出すと「自分で!」

自分で着替えられるようになったのはよいのですが、急いでいるときなどに手助けをしようとすると「自分で!」と言って怒ります。

 できるだけ時間に余裕をもって自分でやらせ、
どうしても間に合わないときは
子どもに聞いてから手伝う

子どもが「自分で」やりたがるのは、順調に成長している証拠。なるべく待ってあげられるように時間に余裕をもつことが大切です。

どうしても急いでいるときは、「自分で」という気持ちをほめたうえで、「○○ちゃんがじょうずにできることは知っているけれど、今日はお手伝いをしてもいいかな？」と選択肢をもたせた声かけをしましょう。

基礎知識

子どもの意欲を損なわない工夫

着脱のしやすい服を用意する

なるべく「急いで」を言わないよう、できるだけ着脱がしやすい服を選ぶことも大切。

ズボンやスカートのウエストはゴムで、ゆったりした大きさのもの

Tシャツやトレーナーは、やわらかい素材のもの

前に絵があるなど、前後がわかりやすいもの

トイレに誘っても「行かない!」と言い、あとでもらす

排尿の間隔が長くなりパンツにしました。普段は問題ないのですが、遊んでいるときなどは、「行かない」「行きたくない」と言い張って、結果おもらし。どうすればいいですか?

遊びに集中しているときに誘っても無理。できたときは十分にほめて

　遊びに集中しているときに、遊びを中断させてトイレに行くというのは子どもにとって無理なことです。遊び始める前や終わってから「トイレに行こう」と声をかけたり、遊んでいる途中なら「もう少ししたらトイレに行こうね」と予告してから誘うようにします。

　もらしてしまったときは叱らず、気持ちが悪いという感覚に意識を向けさせるようにしましょう。お気に入りのパンツをはかせて、「汚したくない」という心理を利用するのもよいでしょう。

　トイレでうまくできたときは十分にほめ、シールを貼るなど、できた喜びを目で感じられるような工夫をするのもおすすめです。

子どもがトイレに行きたくなる工夫

親が一生懸命になればなるほど、イライラが大きくなるトイレトレーニング。
肩の力を抜いて親子で楽しむ工夫も必要。

トイレ電車出発進行〜♪

子どもと電車ごっこでトイレまで進む。途中、台所や別の部屋に立ち寄るなどしてから、「トイレにとうちゃ〜く」。定期的に「トイレ電車まもなく発車します!」と声をかけてトイレに行き、排尿できたら、一緒に大喜びを。

トイレ大成功メダル

メダルをたくさん作っておき、トイレに用意をしておく。トイレに行って座れたら「座れたね! おめでとう」、うまく排尿できたら「トイレ大成功!」などと、その都度、成功したことを一緒に喜んでメダルをかける。

よそのトイレが使えない

神経質で、家と園以外のトイレが使えません。駅やデパートのトイレなどは絶対に入ろうとしないので、いまだにおむつを持ち歩いています。どうしたら、外のトイレに入れるようになるのでしょう。

 外のトイレの何がいやなのか探り、少しずつ慣れさせる

外のトイレの何がいやなのか、まずはそれを探りましょう。その際、子どもの気持ちに寄り添うことが大切です。汚いなどの理由であれば、除菌シートを使う。暗くて怖いのが理由であれば、おうちの人も一緒に入って安心させたり、ドアのそばに立ち、開けたまま入ったりなどの方法をくり返すうち、少しずつ慣れていく場合もあります。無理強いすると逆効果。「そのうちできるようになる」と親がゆったり構えることも大切です。

ちなみに親が神経質で外のトイレにあまり行かないと、子どもも外のトイレに対して神経質になることがあります。親自身が率先して外のトイレを使用する姿を見せ、「大丈夫だよ」と伝えることも効果があります。

トイレの使い方を伝える

和式・洋式や、立ち便器など、家と違うトイレで戸惑う場合もある。外出先で、どんなトイレでもできるようにすることも大事。

洋式トイレ

①ズボンやパンツをひざまでおろす
②上着のすそを腰まであげておさえる
③便座に深く座る

立ち便器

①便器の前に立ち、ズボンやパンツをひざ下までおろす
②便器に近づき、お腹を前に突き出す

和式トイレ

①便座の前のほうに立つ
②ズボンやパンツをひざまでおろす
③ズボンやパンツを押さえながらしゃがむ
※慣れるまでは、最初にズボンやパンツを全部脱ぐ

Message
子どもの意欲を応援し、
自分でできた喜びを共有しましょう

Message
「きれいが気持ちいい」という感覚を
育んでいきましょう

歯をみがいた後は…

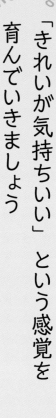

食習慣の悩み

13

食べものの好き嫌いが多い

　5歳の娘は好き嫌いが多く、とくに野菜はほとんど食べません。ハンバーグなどに細かく刻んで入れてもいやがります。小学校に入ったら給食が始まるので、それまでに直したいと思うのですが。

Ａ 「嫌い」ではなく「まだ食べられない」だけ。きっかけを与えつつ、気長に見守る

　子どもの好き嫌いは「嫌い」ととらえるより、「まだ食べられるようになっていない」と考えましょう。味覚の発達や経験を積むことによって食べられるものが増えてくるので、この時期は食べることに興味や愛着がわくような経験をたくさんしていきましょう。例えば、家庭で野菜の栽培をしたり、おうちの人と一緒に料理をしたり、家族や友だちと楽しい食卓を囲むなどです。

　また、苦手な野菜をハートや星形に型抜きしたり、食べたいと思うような盛りつけをするのも効果的。「食べない」と決めつけず盛っておくと、ふとしたタイミングで手を伸ばして食べ始めることもあります。きっかけを与えつつ、気長に見守りましょう。

豊かな味覚を育てるためのコツ

「体験」と「食べる」を連動させることがポイント。
旬の食材を意識し、いろいろな味を経験させるとよい。

春	空豆の皮むきをして、（ゆでて）食べる
夏	（プチ）トマトを栽培して収穫し、食べる
秋	店でさんまを見つけて買い、（焼いて）食べる
冬	もちつきをして（または、もちを焼いて）、食べる

小食で食べるのが遅い

４歳の娘は小食で、食べるのもとてもゆっくりです。家では
たまりかねて、私が口に食べものを運んでしまうことも。「も
う片づけるよ」と言うと「まだ食べる！」と……。改善する
方法はありますか。

 **食事の形態や量を見直したうえで、
おなかがすく生活になっているか確認を**

　少食でも身長と体重が発育曲線に沿って
いて、肥満度も適正範囲内であればあまり
心配することはありません。ただ、だらだ
らと食べるのはあまりよくありません。食
事の形態や量を見直し、まずは子どもが無
理なく食べられる形や量にしたうえで、食
事時間は 30 分を目安にするなどルールを
決めましょう。また、間食はごはんの影響
のない範囲にとどめることも大切です。
　同時に、おなかがすく生活になっている
のかについても確認しましょう。外遊びや
散歩、体を使った遊びで活動的に過ごせば、
おなかがすいて、たくさん食べられるよう
になるかもしれません。

食事の見直しポイント

配慮できていないことがあれば、改善を心がけて。

□ 家族みんなで食事を楽しむ雰囲気づくりをしている
□ 親が一緒に「おいしいね」と食べている
□ 食事やおやつの時間以外は、食べない・食べさせないようにしている
□ 牛乳やジュースなど、水分でおなかがいっぱいにならないよう配慮している

遊び食べはいつまで?

　２歳の息子は、ごはんとおかずをかき混ぜたり、飲みものをストローでぶくぶくさせたりなど、すぐに食べもので遊びだします。遊び食べは通過点で、食への興味を育てるとも聞きますが、いつまで許されるのでしょう。また、食事に集中させるにはどうしたらいいですか?

この時期の遊び食べは心配ないが食事の環境を見直す必要も

　遊び食べは２歳児に多く見られる行動です。次第に減っていくはずなので、過剰に心配せず見守りましょう。ただ、食べものを投げるなど明らかにいけない行動はダメだと教える必要があります。はじめはできなくても、くり返し伝えることで身につきます。

　なお、食事に集中するためには、体に合ったいすやテーブル、安定した食器などを用意して自分で食べやすくする、テレビを消しおもちゃなどは食卓に持ち込まないなど、気が散らないような環境を整えることも大切です。

　ちなみに、食事時間の集中力がもつのは 30 分程度です。遊び食べが始まったら切り上げてもいいでしょう。

子どもの食事について困っていること

平成 27（2015）年度乳幼児栄養調査（厚生労働省）「現在子どもの食事について困っていること」より抜粋。

「遊び食べ」については、２〜３歳は 41.8％だが、５歳以上になると 14.4％に減っている。

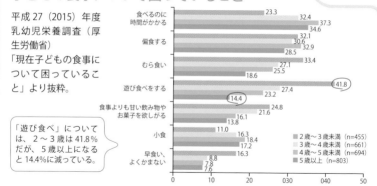

16

太り気味を指摘された

5歳の息子。白いごはんが大好きで毎食、何杯もおかわりをします。牛乳も1日に1Lは飲んでいます。最近、園の健康診断で太り気味を指摘されました。食べる量を減らすにはどうしたらよいでしょう。

おかわりのルールを決めたり、途中でひと息入れるなど食べすぎないですむ工夫を

白いごはんばかり、牛乳ばかりと偏って食べることはよくありません。白いごはんを一膳おかわりしたら次はおかずや汁物を、牛乳を1杯飲んだら次は水やお茶を飲むように促し、栄養バランスを整えていきましょう。

また、おかわりが続くようなら「○時になるまでおかわりはいったんお休みね」と、途中でひと息入れるのも方法です。ひと息つくことで、満腹感が得られる場合もあります。

おかしやジュースなど間食を頻繁にせがむようなら、絵本を読み聞かせたり、おうちの人と遊ぶなど気持ちを切り替え、ほかに意識を向ける工夫も必要です。

かみごたえのある食材で子どもが食べすぎない工夫を

よくかんで食べると、満腹感を得やすくなる。唾液がたくさん出ることで消化も促進されるので、毎日の食事にかみごたえのある食材を意識して取り入れたい。

硬↑ かみごたえ度 ↓軟		
10	さきいか　にんじん（生）　たくあん	
9	豚モモ肉　牛モモ肉　セロリ（生）	
8	いわし（佃煮）　油揚げ　キャベツ（生）	
7	ピザ皮　もち　イカ（生）　酢ダコ　鶏モモ肉　大根（生）白菜漬物　干ぶどう	
6	玄米　えび　きゅうり　マッシュルーム　ピーマン（炒）	
5	麦ご飯　長芋　かまぼこ　チャーシュー　もやし　しいたけ	
4	白米　パスタ　こんにゃく　つみれ　ハム　チーズ　いんげん（ゆで）　梨　りんご	
3	うどん　ラーメン　さつま揚げ　ソーセージ　肉団子　卵焼き	
2	おじや　食パン　刺身　コンビーフ　トマト　にんじん（ゆで）　白菜（ゆで）　バナナ	
1	おかゆ　豆腐　はんぺん　ハンバーグ　大根（ゆで）　メロン　みかん	

お菓子やジュースを欲しがる

甘いものが大好きで、お菓子やジュースを頻繁に欲しがります。「今日はこれだけね」と量を決めてもおさまらず、ごはんがあまり進みません。むし歯も心配です。

買い置きはしない、時間を決めるなど親が努力を。果物など自然の甘みを与えるのも○

　子どもの間食は、3回の食事では満たされない栄養を補う役割があり、ある程度は必要です。しかし、食べすぎて食事に響くようでは困ります。おやつの時間を決め、規則的に与えるようにしましょう。

　また、市販のお菓子やジュースなどの与えすぎもよくありません。果物やサツマイモ、カボチャ、トウモロコシなど自然の味を生かしたものを与えましょう。

　お菓子は、あるとどうしても欲しがるので、買い置きをしないことも大切です。「ないと子どもがうるさいから」と思うかもしれませんが、親の我慢も必要です。いまだけを考えず、将来の子どもの健康を考えましょう。

基礎知識

間食の適量とおすすめのおやつ

間食にお菓子など甘いものをとると、血糖値（血液中のブドウ糖の濃度）が急激に上がり、その後、急激に下がる。これをくり返すと体は疲れやすくなり、イライラして、かんしゃくを起こす原因ともなる。量だけでなく間食を何にするかも意識が必要。

| **1～2歳児** | 100～150kcal | **3～5歳児** | 200～260kcal |

おすすめのおやつ

・とうもろこし（ゆで・1/2本）　130kcal
・ふかし芋（さつまいも輪切り・約2cm）　66kcal
・バナナヨーグルト（バナナとヨーグルト・1カップ）　60kcal
・りんご（1/4個）　26kcal
・ゆかりおにぎり（1個）　100kcal
・牛乳（100cc）　67kcal

18

薬を飲ませるのが大変

風邪をひきやすく、しばしば病院にかかるのですが、もらってきた薬を飲ませるのが大変で困っています。

子どもが好きな食べものに混ぜる。飲みやすい薬に変えてもらうのも一案

薬が苦手な子は多いものです。市販の服薬ゼリーを用いたり、ヨーグルトやアイスなど食べ物に混ぜて与えると飲みやすくなります。

また、粉薬が飲めない場合はシロップに変えてもらったり、抗生物質のように苦味がどうしても受けつけない場合は薬の種類を変えてもらったりなど、医師に相談してみてはどうでしょう。

1日3回の服用で処方される薬の場合、基本的に園では対応してもらえません。このようなときも医師に相談し、薬の種類に配慮してもらうほか、服用するタイミングのアドバイスをもらいましょう。

基礎知識

健康は生活習慣の改善から

乳幼児期から薬を飲まなくてすむような体づくりを心がけることも大切。国は「子どもの体力向上のための総合的な方策について（答申）」のなかで「健康三原則」を提唱している。

> **健康三原則**　**よく食べ、よく動き、よく眠る**

・生活習慣の基本は、調和のとれた食事、適切な運動、十分な休養・睡眠から
・家族で食事を共にしたり、早寝・早起きなど生活リズムの確立をはじめ、"健康三原則"を徹底し、子どもの生活習慣を改善するため、家庭できまりをつくることが有効

夜の授乳がやめられない

2歳の誕生日に昼間のおっぱいは卒業できました。が、2歳半になったいまでも、夜はおっぱいを飲みながらでないと寝つけません。一人っ子なのでやめどきもわからずここまできてしまいましたが、私自身、辛くなってきました。

A お母さんと子ども両方の こころとからだの状態を見て判断を

通常2歳半になると、必要な栄養素は食事で補えます。ですからこの時期のおっぱいはスキンシップや精神安定剤のような役割になります。お母さんと子どもの両方のこころとからだの状態をみて、何を優先して、どのタイミングでおっぱいを卒業するのかを考えましょう。

また、2歳半なら、ある程度は会話も成立するでしょう。「3歳になったら、もうお兄さんだから夜のおっぱいもやめようか」などと子どもと時期を決めたうえでやめるようにすると、子どもも納得しやすいかもしれません。

卒乳のタイミングと理由

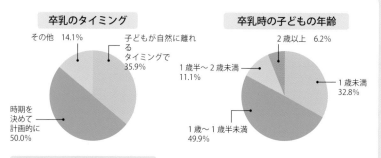

卒乳のタイミング

- その他 14.1%
- 子どもが自然に離れるタイミングで 35.9%
- 時期を決めて計画的に 50.0%

卒乳時の子どもの年齢

- 2歳以上 6.2%
- 1歳半〜2歳未満 11.1%
- 1歳未満 32.8%
- 1歳〜1歳半未満 49.9%

「計画的に」卒乳した人の理由 ※複数回答

- ・離乳食が進んできたから（40.8%）
- ・1歳前後と決めていたから（36.1%）
- ・歯が生えてきたから（17.5%）
- ・第2子を妊娠した、または妊娠したいから（16.3%）
- ・夜の授乳が大変になったため（16.3%）
- ・ママが仕事を始めたから（15.1%）
- ・母乳が出にくくなったから（12.7%）
- ・その他（12.7%）

以上、ユニ・チャーム調べ

正しくはしが使える子にするには?

もうすぐ4歳です。はしがちゃんと使えるようにしたいと思うのですが、持って見せても子どもにはよくわからないようです。正しく持たせようとすると、持つのをいやがります。どうすれば身につきますか?

 遊びを通して指先の動きを身につける

　無理強いはよくありません。とくに食事中に口うるさく言うと、食事自体が苦痛になることもあります。まずは、大人やまわりの友だちが使っているのを見て、自分からやってみたいと思う瞬間にすぐに対応できるよう、食卓にははしとスプーン、フォークなどを一緒に用意して、使いたいものを選べるようにしておきます。

　きちんとはしが持てるようになるのは、スプーンやフォークを「鉛筆握り」で持てるようになってからです。鉛筆握りは、親指、人差し指、中指の3点で指先に力を入れる持ち方です。この指先の動きは、色鉛筆でお絵描き、ネジまわし、パズル、オセロなど遊びをくり返すことで上達します。

　正しいはしの持ち方は、小さなスポンジやティッシュ、乾物の豆をはしを使ってつかむなど、遊びのなかで楽しく練習するのがよいでしょう。

はしの正しい持ち方

スプーンやフォークが鉛筆握りで持てるようになったら、
遊びのなかではしの使い方を伝えていく。

鉛筆握り

①鉛筆のようにはしを
　1本持つ

②もう1本のはしを親
　指のつけ根と薬指の
　先ではさむ

③上のはしを動かして
　つまむ

作戦失敗

Message

子どもの「食べたい」意欲を
大切にしましょう

初めてのタマネギ？

収穫や調理の手伝いで
食材と仲よくなる経験を

からだと こころの発達

子どもは生まれながらにして、
成長・発達する力をもっています。
しかし、そのスピードや過程は
一人ひとり違います。

育児本を読んで
「書いてあることと違う」と思ったり、
ほかの子と比べて
「あの子はできるのに、うちの子は…」
と心配になることが
あるかもしれません。

でも、親の不安は子どもに伝わるので、
むやみに不安がるのはよくありません。

安心して育児に向かえるよう、
悩みにおこたえしていきます。

ちょっと寂しい…

子どもの発達の姿

子どもの発達には個人差があります。
ここに示したものは、あくまでも目安です。
「こうでなければいけない」と考えず、
働きかけや環境を工夫するための手がかりにしましょう。

おおむね6か月未満

- 首がすわり、手足や全身の動きが活発
になる
- 視覚、聴覚などの感覚が発達する
- 泣く、笑うなど表情の変化やからだの
動き、喃語などで欲求を表現する
- 応答的にかかわる特定の大人との情緒
的な絆が形成される

おおむね6か月から1歳3か月未満

- 座る、はう、立つ、歩くなど運動機能
が発達し、手先を意図的に動かせるよ
うになることで探索活動が活発になる
- 特定の大人との絆が深まる一方で、人
見知りが始まる
- 自分の意思や欲求を身振りなどで伝え
ようとし、大人から自分に向けられた
気持ちや簡単な言葉が理解できるよう
になる

おおむね1歳3か月から2歳未満

- 歩き始め、手を使い、言葉を話すようになることで、身近な人や身のまわりのものに自発的に働きかけていく
- 大人の言うことがわかるようになり、自分の意思を大人に伝えたいという欲求が高まる
- 指差しや身振り、片言などを使うようになり、二語文も話し始める

おおむね2歳

- 歩く、走る、跳ぶなど基本的な運動機能や指先の機能が発達する
- 食事、衣類の着脱など身のまわりのことを自分でしようとする
- 排泄の自立のための身体的機能が整う
- 語彙が著しく増加し、自分の意思や欲求を言葉で表出できるようになる
- 自我の育ちの表れとして強く自己主張する姿が見られるようになる

おおむね3歳

- 基本的な運動機能が育ち、食事、排泄、衣類の着脱などがほぼ自立する
- 話し言葉の基礎ができ、盛んに質問するなど知的興味や関心が高まる
- 自我がよりはっきりしてくるとともに、友だちとのかかわりが多くなる。しかし、実際には同じ場所で同じ遊びをそれぞれが楽しんでいる「並行遊び」であることが多い

おおむね4歳

・全身のバランスをとる能力が発達し、からだの動きが巧みになる
・自然など身近な環境に積極的にかかわる
・想像力が豊かになり、つくったり描いたり試したりするようになる
・仲間とのつながりが強くなるなかで、けんかが増えてくる
・きまりの大切さに気づき、守ろうとする
・身近な人の気持ちを察し、少しずつ気持ちを抑えたり、我慢するようになる

おおむね5歳

・基本的な生活習慣が身につき、運動機能はますます伸び、仲間とともに活発に遊ぶ
・言葉によって友だちと共通のイメージをもって遊んだり、目的に向かって集団で行動することが増える
・遊びを発展させ、楽しむために自分たちできまりをつくったり、自分なりに考えて判断したり、批判する力が生まれる
・人の役に立つことをうれしく感じる気持ちが育つ

おおむね6歳

・全身運動が滑らかで巧みになり、快活に跳びまわるようになる
・予想や見通しを立てる力が育ち、心身ともに力があふれ、意欲が旺盛になる
・さまざまな知識や経験を生かし、創意工夫を重ねる
・自然現象や社会事象、文字などへの興味や関心が深まる
・さまざまな経験を通して自立心が高まっていく

参考：保育所保育指針

Q 1

友だちと遊ばず親にまとわりつく

　4歳の娘は降園後、公園などに行っても友だちと遊ばず、親にまとわりついています。親のそばを離れるのが不安で仕方ないようです。どうしたら友だちと遊べるようになりますか？園でも先生の近くにいることが多いようです。

親も友だちの輪のなかに入り、一緒に楽しむ

　友だちと一緒に遊びたい気持ちがあるけれど、どのように入っていけばよいのか迷う気持ちや恥ずかしさがあって、なかなか友だちと遊べないのでしょう。そのような気持ちでいるときに、親から「遊んでおいで」と言われても、よりいっそう不安な気持ちになってしまうだけです。

　そこで、まずは親も一緒に輪のなかに入って遊んでみましょう。ずっと遊ぶ必要はありません。最初の5分だけ、きっかけをつくるだけでいいのです。友だちと遊ぶ経験をすることで、子どもは「こんな感じか」とわかります。何度も経験をくり返すなかで、次第に不安が消えていくでしょう。

親と離れることを不安に感じる子どものケア

・子どもとのスキンシップを十分にとる
・親の不安定さが子どもに伝わっている場合もあるので、自分自身を振り返る
・子どものそばを離れる場合は、「○○しに行くから待っていてね」と理由を伝え、約束は必ず守る

自己主張ができない

いつも友だちの言いなりで、自己主張できないのが気になります。せがまれるまま友だちにおもちゃをあげたり、ずっと鬼をさせられたりしていて、見ていて歯がゆいです。

 ## ふだんの生活のなかで、自分の思いを言葉にする練習を

　気持ちがやさしいお子さんなのですね。いいところは認めながらも、自分の意見はきちんと言えるようにしたいですね。

　そのために、まずはふだんの生活のなかで親が「いまは何がしたい？」「おなかすいたね、何が食べたい？」などと、子どもの意思を聞く機会を増やしていきましょう。

　答えは決して急かさず、子どもが自分の思いを言葉にできるまでゆっくり待つようにします。そして、子どもが言ったことについては否定せず、「そうか、ホットケーキが食べたいんだね、じゃあ一緒に作ろうか」などと、できるだけそのまま受け入れます。自分の思いが叶えられる経験を重ねることで、子どもは「自分の意見を言ってもいいんだ」という自信がついてくるはずです。

子どもの自己主張を育てるには

子どもの話をきちんと聞く

何かを伝えようとしたとき、大人にきちんと聞いてもらえたという経験は子どもの自信につながり、自分の思いを人に伝える意欲が育つ。

子どもの先まわりをして援助しない

子どもが自分の希望を口に出す前に大人がかなえてしまうと、自分の思いを人に伝えようとする意欲が育たない。子どもが自分で伝えるまで待つことが大切。

3

友だちと遊べない

４歳の娘は、園でいつも一人で遊んでばかりいるそうです。コミュニケーション力がないのでは、これからも友だちができないのでは、と心配でたまりません。

 友だちとかかわる機会や環境を意図的に増やす

　一人遊びも大切ですが、この年齢であれば、友だちとかかわりながら遊ぶ経験もしてほしいですね。いつも同じ環境にいるだけでは、新たなきっかけを見つけることができません。そこで、親が意図的に、いろいろな友だちとかかわることができる機会や環境をつくってみましょう。いつもとは違う集まりに行ってみたり、ママ友親子を誘って遊んでみたり、何でも構いません。

　ただし、子どもが友だちとかかわろうとしないからといって、親が横から口を出して無理に遊ばせようとはしないこと。まずは一緒にいる楽しさを感じられるようにすることから始めます。子どものペースを大切にしながら、自然な形で友だちと交流できるようにしていきましょう。

　なお、親が「いろいろな人と交流を！」とがんばりすぎて負担になってしまうようでは、元も子もありません。親子の時間もたっぷりととり、こころにゆとりをもちながら進めていきましょう。

子どもの友だち遊びの発達過程の目安

3歳	小さな集団で、他者を意識しながら遊べるようになる
4歳	４〜６人のグループで一緒に遊べるようになる
5歳	役割やルールをつくって、それを守りながら遊べるようになる

すぐに癇癪をおこす

ビルを作ろうと積んでいた積み木が崩れてしまった、思うようにボタンがはめられない、食べたかったお菓子を弟に取られてしまったなど、些細なことでキーッとなる3歳の息子。物を投げたり、相手に当たったりなど暴力もふるいます。

 「できると思ったのに！」と葛藤している子どもの気持ちをくみ取り、やわらかく対処を

　自分で考えながら行動できるようになる時期です。それだけに、やろうと思っていたことがうまくいかなかったときに、悔しかったり残念だったりする気持ちも高まります。しかも、その気持ちをうまく言葉にできないので、子どもの頭のなかはパニック状態に。そんな子どもの状態を理解したうえで、やわらかな対処を心がけます。

　少し落ち着いたころを見計らい、「何が気に入らないのか」を聞いてみましょう。大人からすれば理解しにくいことを言うかもしれませんが、復唱するように気持ちに寄り添う言葉をかけてください。子どもは「わかってくれた」と安心し、だんだんと気持ちをおさめることができるようになります。

基礎知識

子どもが「やりたい」「でも、できない」と葛藤しているときの言葉かけ

せっかく自分でやろうとしているのに、うまくいかないといやな気持ちになるよね

自分でできるまで待っているね

自分でやろうとがんばっているのね

手伝ってほしいことはあるかな？

5 Q

言うことをきかない

4歳の息子は、親の言うことをききません。「そろそろごはんだから、おもちゃを片づけて」「ハミガキをしよう」などと言うと、すぐ「いやだ」。反抗的な態度にどう対応していいかわかりません。

子どもが聞く耳をもつようなアプローチに変えてみる

親が何か言ったとき、子どもからすぐ「いやだ」と返ってくるということは、いつも同じことを言い続けているのではないでしょうか。子どもは聞き慣れてしまい、聞く姿勢をもてなくなっているように思えます。そこで、いままでとはアプローチを変えてみるようにします。

「〜しなさい」という言い方ではなく、例えば、「あと少しでごはんの時間になるけど、お絵描きはどれくらいで終わりそう？」と聞いたり、「ハミガキをするのと、顔を洗うのと、どちらを先にする？」と子どもに選択させたりなど。

「ほかに何かやりたいことがあるの？」と聞いて、子どものしたいことを受け入れていくと、親がしたいことも受け入れてくれる関係性ができていきます。

基礎知識

言うことをきかない子どもへの対応

子どもの話をきちんと聞き、いったん受け入れる	「そうなんだね」「あなたの気持ちはわかったよ」と言葉に出して認める。
具体的に説明する	「〜だから、やってはいけない」「〜だから、こうしてほしい」と理由を言う。
伝え方を変える	「静かにして」ではなく、「口を閉じて声を出さないで」など、いつもと違う伝え方を工夫する。
気分をのせる	早く片づけてほしいときなど、「早く片づけて」ではなく、「片づけ競争をしようか」などと誘い、子どもの気分をのせる。

自己中心的な行動が目立つ

友だちに指図することが多く、自己中心的な行動が目立つ4歳の娘。おもちゃやお菓子を独り占めすることも。相手と譲り合って仲よく遊べるようになってほしいのですが。

子どもの気持ちを尊重したうえで、相手の心情を知らせ、どうしたらいいか考えさせる

「こうしたい」という気持ちをもつのは、悪いことではありません。自己中心的だという否定的な見方をせず、自分の意思をはっきりもつ子どもだととらえ、そのよさを生かす子育てを考えましょう。

そのためには、子どもの気持ちを尊重したうえで、相手の気持ちにも配慮するように伝えていくことが大切です。例えば、おもちゃを「貸さない」と言うとき、「そうか、いま使っているから貸したくないんだね」と認めながらも、「○○ちゃんもおもちゃを使いたいみたいだよ。どうする？」と、相手の心情を知らせたうえで、子どもに考えさせてみます。

まわりが気持ちを理解してくれたことに気づけば、相手に譲ろうとする気持ちが必ず芽生えてくるはずです。

わがままを言う子どもへの対応

子どものわがままは、自分の意思を相手に伝えようとしているサイン。

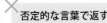

✕ **否定的な言葉で返す**　子どもは悲しい気持ちになり、誰の話もきかなくなる。

○ **子どもの気持ちに寄り添った言葉で返す**　子どもは認められたと感じ、相手の気持ちを考えたり、状況を理解しようとする余裕が生まれる。

すぐに抱っこをせがむ

遠出をすると「疲れたから抱っこ」、家の中でも何かというと「抱っこ」。もう4歳なのに甘えを許していいのか、迷います。からだが大きいほうなので、まわりの目も気になります。

 抱っこは、こころのよりどころ。
気がすむまで抱っこしてあげて

子どもが抱っこを求めるのは、こころの安定を得たいからです。お母さんのひざの上は、子どもにとってこころから甘えられる居場所です。

遠出をすると「抱っこ」というのは、体力的に疲れて歩きたくないからというよりは、気持ちが疲れているのかもしれません。家の中でも、何か不安な気持ちになることがあるのかもしれません。親としては「もう4歳なのに、自立が遅いのではないか」と不安になるかもしれませんが、しっかり甘えさせた子ほど自立は早いものです。安心して甘えさせてあげてください。

子どもを抱っこから下ろす方向にもっていく場合は、子どものいまの気持ちを聞いたり、まわりの情報を知らせたりなど、子どものこころを安定させてからにしましょう。

十分な「甘え」が子どもの成長に与える効果

コミュニケーション力が育つ　　自己肯定感が育つ

相手を思いやる気持ちが育つ　　有能感が育つ

何でも挑戦してみようとする意欲がわく

8

妹が生まれて赤ちゃん返り

先日、妹が生まれてお姉さんになった3歳の娘。しっかりした子でしたが、妹がおっぱいを飲んでいると自分も飲みたがったり、ごはんを食べさせてもらいたがったり。予想外の赤ちゃん返りに困惑しています。

あえて「上の子優先」に切り替え、子どもが下の子を受け入れる余裕をもたせる

　下の子が生まれると、どうしても上の子より下の子の世話を優先してしまいます。生活面に関してある程度自立している3歳の子には、「自分でやって」などと、つい言ってしまうかもしれません。そんな言葉をかけられると、子どもは自分のことも見てほしい、という気持ちになり、下の子のようなふるまいをして、注目してもらおうとするのです。

　そこで、あえてここは「上の子優先」に切り替えます。自分がないがしろにされていないと理解すれば、上の子に余裕ができ、下の子をかわいく思う気持ちが生まれてくるはずです。

きょうだいができたときの上の子への対応

・上の子と2人だけの時間をつくり、十分に甘えさせる
・「お兄ちゃん（お姉ちゃん）だから」と、がまんさせたり待たせたりしない
・下の子のお世話を手伝ってもらい、手伝ってくれたら「ありがとう」とほめる
・「あなたがいちばんかわいい」と抱きしめる

一人で寝られない

添い寝をしないと寝られない5歳の息子。いまは和室に親子川の字で寝ています。来年小学校に上がるのに、いつまで一緒に寝ていていいのか、悩みます。

A 子どもにとって、添い寝は大切な憩いの場。
寝る前にホッとできる時間を別につくることで
しだいに一人寝ができるようになる

子どもは、幼稚園や保育園で1日がんばって過ごしています。その気の張りをいやすために、1日の終わりに添い寝を求めるのかもしれません。親から「もう5歳なんだから、一人で寝なさい！」などと言われると子どもは、「自分で寝なくては」という心理的なプレッシャーからさらに不安になり、より一層親から離れなくなります。

寝る前に、1日がんばったことを振り返って話したり、数分抱きしめてから布団に入るなど、ホッとできる時間をつくってみましょう。徐々に一人で寝られるようになっていきます。

子どもだけで寝るようになった年齢

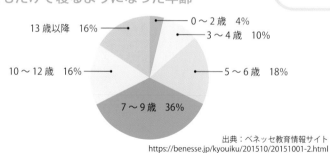

- 0〜2歳　4%
- 3〜4歳　10%
- 5〜6歳　18%
- 7〜9歳　36%
- 10〜12歳　16%
- 13歳以降　16%

出典：ベネッセ教育情報サイト
https://benesse.jp/kyouiku/201510/20151001-2.html

テレビを見続ける

テレビを途中で消すことができません。ごはんの時間になり、声をかけても「まだテレビが終わってない」と言い、テレビを見続けます。無理やりテレビの電源を切ると、大泣き。どうしたらよいでしょうか。

視点を変え、言い方を工夫してみて。あらかじめ、テレビを消す時間を予告しておくのもよい

　視点を変えて、例えばこんなふうに言ってみたらいかがでしょう。「楽しそうね。何の番組？」「○○ちゃん、お待たせ！　いまごはんができたから、いつでも食べられるよ」「作っている間、テレビを見て待っていてくれてありがとう」。

　子どもは、いつもと違う言い方に驚くとともに、自分の行動をほめられたことに対して喜びを感じます。そして、相手の言葉を安心して受け入れるようになります。そうなったとき初めて「じゃあ、テレビを消してごはんを食べようか」と言うと、もしかしたら素直に言うことを聞くかもしれません。

　いきなりテレビを消すように言うのではなく、テレビを見る前に「この番組が終わったらごはんを食べようね」と予告しておくことも、前もって気持ちの準備をするために必要です。

子どもの自制心を育てるには

子どもが気持ちを切り替えて、次の行動にスムーズに移るための工夫。

・予告して、次の行動へのこころの準備期間をつくる
・予定表を書き、生活の流れをイメージできるようにする
・子どもの行動にとことんつき合い、満足させる

きょうだいげんかへの対応

2歳と4歳の息子は、すぐにけんかをします。2歳の息子が お兄ちゃんのものを何でも欲しくなって、何も言わずに奪い 取ろうとするのが原因のことが多いです。どうおさめればい いのか悩みます。

子どもの気持ちを大事にすることで、 子ども同士も互いに やさしく接することができるようになる

子どもの成長のためにはある程度のけんかは必要です。けんかをしてもシコリ を残さないきょうだいげんかが経験できることは、いまの時代、貴重です。基本 的には無理にけんかをおさめようとせず、そばで見守るようにします。

手が出るなど親が間に入らざるを得ない場合でも、どちらかを悪いと決めつけ たり、どちらかにがまんを強いたりしないことが大切です。双方の言い分をよく 聞き、「お兄ちゃんのものが欲しかったんだね」「でも、そんなことをしたら、お 兄ちゃんだっていやになると思うよ」などと、子どもの気持ちをわかっているこ とを言葉で示していきましょう。自分の気持ちを大事にしてもらえていると感じ られれば、互いにやさしく接することができるようになると思います。

夫婦の最終的な子どもの数

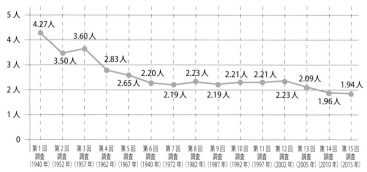

注：対象は結婚持続期間15〜19年の初婚どうしの夫婦（出生子ども数不詳を除く）
参考：「第15回出生動向基本調査」国立社会保障・人口問題研究所

落ち着きがない

常に落ち着きがなく、いつもチョロチョロと動き回っています。園でも座って先生の話が聞けていない様子です。来年は小学生になるので、何とかしたいと思うのですが……。

A 好奇心の強い子どもにありがち。ゆったりと見守ることで、年齢とともにしだいに落ち着くことも

まわりの世界への好奇心が強い子ほど、いろいろな刺激にすぐに反応してしまい、落ち着きがなく見えることがあります。年齢とともに子どもに注意力、理解力、操作力などが育っていけば、しだいに落ち着いてくるものです。一対一で会話をするなど、ゆったりとものごとに取り組む場面を増やしながら見守りましょう。

年齢が上がったり、大人の対応を変えてもあまり変化が見られない場合は、発達の遅れによる落ち着きのなさであることも考えられます。園とも相談しながら、専門家と相談することも必要です。

 基礎知識

子どもに落ち着きがない場合に考えられる原因

- 何にでも興味がある
- 自分の思い通りにしたい
- かまってほしい
- 遊びたい欲求を抑えられない
- ストレスがたまっている
- ADHDの可能性がある

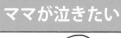

ママが泣きたい

Message

子どものもって生まれた力を
信じましょう

子どもの「自分でできた」を
応援しましょう

失礼♪

歩きたがらない

3歳の娘は、すぐに「疲れた」と言って歩くのをいやがり、
いまだにベビーカーを使っています。運動不足が心配です。

 自ら歩きたくなるように
歩いた先に楽しいことがあることを知らせる

　買いものなど、大人の都合で子どもをつきあわせる外出の場合、無理に歩かせ
なくてもよいのではないかと考えます。ベビーカーに乗りたがるなら、乗せても
よいでしょう。

　運動不足は、ほかのところで解消しましょう。長く歩く経験をしてほしいなら、
子どもにとって楽しいところ、例えば公園やおもちゃやさんなどを目指して歩い
てみてはどうでしょう。

　「歩いた先には公園があって、ブランコで遊べる」「おもちゃやさんに着いたら、
一つだけ好きなおもちゃを選ぶ」そんな楽しい目的があれば、子どももがんばっ
て歩くのではないでしょうか。

子どもがからだを動かす際に大切なこと

生涯にわたって心身ともに健康に生きるために、子ども（幼児）は1日合計60分以上、
楽しくからだを動かすことが望ましい。そのために大切なことは以下の3点である。

1	2	3
多様な動きが経験できるようにさまざまな遊びを取り入れる	楽しくからだを動かす時間を確保する	発達の特性に応じた遊びを提供する

参考：「幼児期運動指針」文部科学省

運動が苦手

4歳の息子はかけっこが遅く、ボール遊びやなわとびなども
うまくできません。本人も苦手意識をもっているようで、最
近は外遊びに消極的。男の子なので、人並みに運動ができる
ようにしたいのですが。

 できる・できないとは関係のない外遊びに誘い、
からだを動かすことが楽しい経験を積ませていく

　年齢が低いうちは、できる・できないに関係なくからだを動かすことを楽しん
でいた子どもも、競争心が芽生える4歳頃から、友だちと自分を比べるようにな
ります。その結果、劣等感を感じ、自信をなくすこと
も少なくありません。

　この時期の子どもに大切なのは、運動ができるよう
になることではなく、「からだを動かすことが楽しい」
と感じることです。そこで、まずはおうちの人と一緒に、
できる・できないとは関係のない外遊び（おしくらまん
じゅうやかくれんぼなど）に誘って、楽しいと感じ
ることから始めましょう。そして、楽しく遊べたこと
自体を評価し、次につなげていきましょう。

基礎知識

なわとびが苦手なときは、なわ回しから

手首を回す動きが身についていないと、なわとびがうまくできない。まずは、手首を使っ
てなわを回す遊びから始めるとよい。

なわ回し

1 なわの片端を柱などに結びつけて、まずは右手で回す

2 右手で回せるようになったら、左手で回す

3 なわを柱から外して4つ折りにし、からだの横で回す

4 体の横で回しながら、なわが下にいったときにジャンプする

タイミングを合わせてジャンプができるようになったら、なわとびにチャレンジを。

Q15 手先が不器用

5歳の娘は、折り紙や工作など手指を使う遊びが苦手です。
不器用を直す方法はありますか。

A 原因の多くは経験不足。生活のなかで手指を使う機会を増やして様子を見る

不器用の原因としていちばんに考えられるのは、経験不足です。ふだんの生活のなかで、親が手を貸しすぎていることはありませんか。衣類の着脱やぞうきんを絞る、洗濯ものをたたむなど、できるだけ子どもにさせるようにして、手先を使う機会を増やしてみましょう。

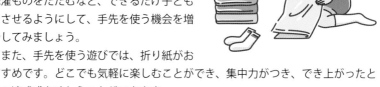

また、手先を使う遊びでは、折り紙がおすすめです。どこでも気軽に楽しむことができ、集中力がつき、でき上がったときの達成感を味わうことができます。

心配なのは、障害が隠れている場合です。大きな障害であれば、歩行開始が遅れたり、麻痺があったりなどで早い段階で気づきますが、微細な障害の場合は、ほかの子どもとの差が目立つような年齢になるまで気づけないこともあります。どうもおかしいと思われる場面があれば、園での様子を聞いてみたり、専門医の診察を受けるなどしてみることも大切です。

折り紙で遊ぶときの約束

手先をしっかり使えるよう、折り紙の基本も伝えていきたい。

- 角合わせ 辺合わせはきちんとそろえて折る
- 折り筋をきっちりつける
- 作品ができ上がったら一緒に喜ぶ

からだの発達の悩み

Q16

言葉が遅い

2歳の息子は、「ママ」「あっち」などの単語でコミュニケーションはできますが、二語文が出てきません。まわりのお友だちに比べて、かなり遅れているようで気がかりです。こちらの言うことはわかっているようです。

何気ない行動にも言葉を添え、子どもの言葉には必ず応答を

幼児期の発達には個人差があり、なかでも言語能力には大きな開きがあります。ゆっくりでも語彙が増え、言葉を発する回数が多くなっているなど成長が見られるなら、もう少し様子を見てもよいでしょう。

そのうえで、家庭で言葉をかける回数が少なくないか、テレビに子守をさせることが多くないかなどを振り返ってみます。何気ない行動にも言葉を添えたり、子どもの言葉には必ず応答するなどを心がけ、絵本の読み聞かせなども並行し、子どもの言葉を引き出しましょう。

さまざまな対応を心がけても変化が見られない場合は、ほかに原因がある可能性もあります。専門家の判断を得ることも検討していきましょう。

基礎知識

子どもの言葉を育てる遊び

言葉を使った遊びを展開していくことも、子どもの言葉を育てるために効果的。

なぞなぞ
3歳頃から

しりとり
4歳頃から

伝言ゲーム
5歳頃から

だじゃれ
5歳頃から

早口言葉
5歳頃から

17

おねしょが治らない5歳児

日中のオムツはすっかり取れましたが、園のお昼寝中や夜、毎日のようにおねしょをします。発達に問題があるのではと心配です。

焦らず、ゆったりと対応し、絶対に叱らないことが大切

排泄の発達は個人差が大きく、本人もしようと思って失敗しているわけではありません。ですから、絶対に叱らないことが大切です。「また？」とか「恥ずかしいなあ」などという言葉も厳禁です。

5歳児は羞恥心もめばえているので、園には、ほかの子の目に触れないよう配慮してもらいましょう。もし知られてしまっても、親自身が「たいしたことはない」という態度を続けましょう。

同時に、かかりつけ医などに相談してみてもいいでしょう。

「おねしょ」と「夜尿症」

おねしょ	夜寝ている間におもらしをすること。2歳で2人に1人、3歳で3人に1人、4歳で4人に1人、5歳で5人に1人がおねしょをするといわれている。
夜尿症	5〜6歳を過ぎても月に数回以上、「おねしょ」をする場合、「夜尿症」と診断される。一般的には、小学生になっても「おねしょ」が続く場合に夜尿症の治療をおこなう。

からだの発達の悩み

Q 18

指しゃぶりをする3歳児

指しゃぶりをするくせが抜けません。友だちに笑われるのではないか、また、歯並びにも影響するのではと心配です。やめさせるよい方法はありますか。

A しぜんにやめられることが多いので、
気にせずそのまま見守って。
楽しい活動で気をそらす工夫も

　指しゃぶりなど、それをしていると気持ちが落ち着いたり、安心できることは、子どもだけではなく大人にもあります。無理にやめさせるとストレスになり、別の面で影響が出ることも少なくありません。成長とともにしぜんにやめられることが多いので、深刻にとらえすぎず、見守りましょう。

　同時に、楽しい活動をすることで、指しゃぶりを忘れる時間をつくるなどの工夫もしていきます。

　ただし、あるときから急にくせが始まった場合は注意が必要です。下の子が生まれた、引っ越ししたなどで何かストレスを抱えているのかもしれません。原因を見極め、そのストレスが少しでも軽くなるよう対策を考えていきましょう。

基礎知識

「チック」とは

まばたきをくり返す、咳払いをするなど、からだの一部にみられるくり返しの動きや言葉で、くせの一種

はっきりとした原因はわかっていないが、生まれつきチックを起こしやすい脳の体質があると考えられている

多くは1年以内、1〜2か月で消えることもある

ストレスのために脳が緊張して症状が出る場合もあるので、ストレスの原因を見つけて取り除くと症状が消える場合もある

突然、どもり始めた

元気で明るい5歳の息子。突然、どもるようになりました。引っ越しなどで環境が変わったせいでしょうか。どう対応したらよいでしょう。

 安心できる生活環境を整えるとともに「治そう」と意気込まないことが大切

まだ口腔内の機能の発達が十分でない場合、話したいという意欲に機能が追いつかず、どもってしまう場合があります。これを生理的吃音と言います。

5歳児で、突然始まったとのことなので、おそらく口腔内の機能の問題ではなく、生活のなかでストレスを感じていることが原因でしょう。

まずは、できるだけ子どもが安心して生活できるような環境を整えていくようにします。また、「小学校入学までには治そう」などと意気込まないことです。どもりを注意すると余計にひどくなります。長い目で見守ってあげてください。

 基礎知識

吃音（どもり）とは

吃音は、話し言葉がなめらかに出ない発話障害の一つ。

- 音のくり返し（連発）　例：「か、か、からす」
- 引き伸ばし（伸発）　例：「かーーらす」
- 言葉を出せずに間があいてしまう（難発、ブロック）　例：「……からす」

同じ遊びしか、しない

3歳の息子は、ミニカーを並べて遊んでばかりいます。ほかの遊びには興味を示しません。友だちや親が並び順を変えたりすると怒ります。

 A ほかに気になることがないかをチェック。
専門家の判断が必要な場合も

ほかに気になることはありませんか。

園などで集団行動がとれない、言葉が出ない、対応にどことなく不自然なところがある、話しかけられているときに視線が合わない、大きな音やにぎやかな環境が苦手など。これからの様子がみられる場合、知的・情緒的な発達に遅れがある場合もあります。

園とも相談しながら、専門家の判断を得る必要があるでしょう。

基礎知識

発達が気になるときは

専門の診療科や地域の福祉施設などに相談を。

 相談先

小児科	児童精神科	保健センター	児童相談所	発達障害者支援センター

など

犬に負けた !?

Message

子どもの生きる力を信頼し、
成長を支えていきましょう

なかよしだんご♥

Message
子どもも自分も
ありのままを受け止めて

小学校に
つながる学び

小学校入学が近づいてくると
楽しみな反面、
これまでとは違った生活に
うまくなじめるか、
不安も感じますね。

学習についていけるだろうか。
規則正しい生活が送れるだろうか。
集団行動がとれるだろうか。

そんな、入学を前にした
心配ごとの一つひとつに
ていねいにこたえます。

就学準備で大切なこと

就学を意識するあまり、幼児のうちから国語や算数など教科教育の先取りをさせようと考える家庭も多いようです。しかし、この時期に大切なのは、生活や遊びを通しての学びです。

子どもは、生活や遊びを通して「学びに向かう力」を育んでいきます。それが、小学校生活での態度や姿勢につながり、就学準備となるのです。

大切なのは、「教えよう」「勉強させよう」ではなく、「一緒に楽しもう」という親の向き合い方です。

学びに向かう力

達成感　やる気　やさしいこころ　興味・関心

生活習慣　思考力　好奇心　挨拶

健康　粘り強い　表現力

想像力　工夫する

集中力

「学びに向かう力」を身につけるために大切な力

就学準備教育の柱となる「学びに向かう力」には、「聞く力」「伝える力」「やり遂げる力」などが土台となります。家庭でもこれらの力を就学前から意識して育んでいきましょう。

座って話を聞けるようになる頃から身につけていきたい力です。人の話を聞く力は、学力に直結しているともいわれます。

「聞く力」を身につけるには

・子どもにとって楽しい話のやりとりを大切にする
・子どもが聞きたいと思う話し方をする
・聞き逃したことで困ることも経験ととらえる

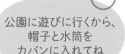

公園に遊びに行くから、帽子と水筒をカバンに入れてね

一度だけ言うよ。よく聞いてね

伝える力

幼児期には、まわりの大人が子どもの気持ちや様子を察して声をかけますが、小学生になると自分で意思を伝えて行動しなくてはなりません。相手にわかってもらいたい気持ちが伝える力につながります。

「伝える力」を身につけるには

・子どもが安心して自分の気持ちを伝えられる環境をつくる
・子どもの話を聞くときは、何かをしながらではなく、できるだけ手を止め、顔を見ながら聞く
・子どもが伝える前に先まわりして言わない

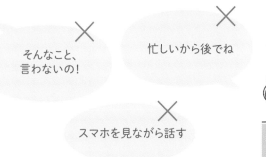

× そんなこと、言わないの！

× 忙しいから後でね

× スマホを見ながら話す

○

あのね
おかあさん
……

なあに？

やり遂げる力

一つのことをやり遂げるには、かなりの持続力が必要です。「最後までやりなさい」と簡単に言わないで、取り組む姿を見守ります。

「やり遂げる力」を育てるには

・子どもが興味をもち、「やってみよう」と踏み出したくなることが必要
・急がせず、じっくりと取り組める時間をとる
・結果や仕上がりではなく、過程をほめる

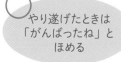

○ やり遂げたときは「がんばったね」とほめる

× まだできないの？

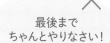

× 最後までちゃんとやりなさい！

入学前に勉強させたほうがいい?

小学校に入学して困らないように、準備をさせたいと思っています。数やひらがなのワークブックをさせようか、塾に入れようか、迷っています。

生活や遊びのなかでの学びを大切に

学習には、適した時期があります。早く始めれば早く身につくというものではありません。子どもが主体的に取り組むのではない学習は、子どもの意欲をそぎ、勉強嫌いにしてしまう可能性もあります。

家庭や塾でワークブックなどに取り組むことがいけないわけではありません。大事なのは子どもが興味をもつかどうかです。興味をもつようであれば、ワークブックなどを取り入れてみてもよいでしょう。その場合でも無理強いをせず、子どもにまかせっぱなしにしないで親子で一緒に取り組みます。丸つけを親子の会話のきっかけにしたりしながら、楽しくおこないましょう。そして、ワークブック上だけの理解で終わらせず、生活のなかの数や文字にも興味を向けられるようにしましょう。

基礎知識

文字の教え方

読めるようになってから、書くことに進むようにする。

❶ 子どもが鉛筆を持った上から大人が手をかぶせ、一緒に書いてみる

❷ 自分のわかるところは筆が進むので、かぶせた手にあまり力を入れず、子どもの手が止まったところでリードする

❸ 子どもが自分で書いたという達成感をもつことができるようにする

「ひらがな」に興味をもたせたい

お友だちはひらがながスラスラ読めるのに、うちの子はまだ読めません。ひらがなを教えようと思い、ワークブックを準備して取り組ませましたが、すぐに飽きてしまいました。どうすれば、文字を覚えますか。

 教え込もうと思わず、
文字に親しむことから始める

　幼児期の文字に対する興味は、生活環境や経験で、一人ひとり違います。ほかの子と比べても意味がありません。とはいえ5歳児になれば、興味をもってほしいですね。

　ワークブックでひらがなを練習するのでしたら、まずは読めるようになり、そして子ども自身が「もっと知りたい、書きたい」と思えることが大切です。それにより、「文字がわかって楽しい・うれしい」という気持ちと自信を育てていきます。ひらがなにこだわらず、生活のなかで目にする文字を楽しみながら見つけるようなやりとりから、ほかの文字も「知りたい」と思うように導きましょう。しりとりや言葉探しなどの言葉遊びも有効です。

　また、「あ」から順番に覚えさせようなどと思わないで、まずは子どもの名前から始めてみましょう。「教えよう」ではなく、大人が「一緒に楽しもう」という気持ちをもつことが幼児の学びにつながります。

ゲーム感覚で数字・文字探し

いろいろな場所、物、場面で文字を探して、「読みたい」という気持ちを育てたい。

・絵本
・新聞やチラシ
・自動車のナンバープレート
・看板や標識
・バス停や駅　など

鉛筆の持ち方を教えたい

最近、お友だちと手紙ごっこを楽しんでいます。一生懸命書いているのですが、どうも鉛筆の持ち方が違うような気がします。正しい持ち方を教えたいと思うのですが、持ち方も、教え方もわかりません。

 ## 変なくせがつかないうちに、正しい持ち方を教えて

鉛筆の持ち方が悪いときれいに書けないだけではなく、早く書けなかったり、ムダな力が入って手が疲れたりして、小学校に入ってから勉強の集中が続かなくなることがあります。また、いったん変なくせがついてしまうと、直すのは大変です。

正しい持ち方は、教えなければ身につきません。はしを持てるようになったら、鉛筆でなくても、クレヨンで絵を描くときから教えましょう。

一度教えただけでは身につきませんから、持ち方が違っているときはその都度、やさしく手を持って、指の位置を直してあげましょう。くり返しおこなうことが必要です。

持ち方を教えるのと同時に、きちんと座り、左手を紙に添えて、体の正面で書くことを習慣づけられるといいですね。

正しい鉛筆の持ち方

持ち方を覚えるには、三角鉛筆がわかりやすい。また、芯の柔らかい４Ｂが書きやすい（とがらせないように注意）。

・親指と人さし指で
　鉛筆を軽くつまむ

・中指で下から
　支える

・薬指と小指は
　軽く握る

・正しい持ち方で、直線や曲線、線つなぎや形をくり返し書いてみよう

絵本を自分で読んでほしいのに…

ひらがなが読めるようになりましたが、絵本を「読んで」と
持ってきます。できれば、自分で読んでもらいたいのですが。

A ひらがなが読めるようになっても 読み聞かせを

　ひらがなが読めるようになっても、一つひとつの文字を追っているだけで、言葉として理解はできていません。また、読み聞かせは、文字が読めないから読んであげるためだけのものではありません。

　幼児は言葉を聞いて覚えていきます。聞いて理解する「聞く力」が身につきます。

　子どもが昨日と同じ絵本を「読んで」と持ってきても、「これ、昨日も読んだでしょう」と言わず、毎日同じ絵本でも読んであげてください。話の内容をイメージできているので楽しいのです。

　小学校の高学年で「国語が楽しい」と感じる児童の多くが「絵本の読み聞かせをしてもらっていた」といわれています。

読み聞かせの本の選び方

年齢にあった本	話の長さや言いまわしがその年齢に合っていると理解しやすい。
日本昔話	日常会話ではあまり使わない言いまわしなど、さまざまな日本語の表現にふれることができる。
いろいろな分野の絵本	科学や歴史など、絵本を通じて子どもの興味・関心の幅を広げるきっかけをつくる。

物が正しくかぞえられない

100まで言えるのに、10個の物でも正確にかぞえることができません。かぞえるたびに「〇個あった！」という数が違います。

生活や遊びのなかで
数える経験を重ねていくことが大事

　子どもが「いち、に、さん…」と数を唱えることができると、「すごい、もう数がわかるのね」と考えがちです。しかし、100まで唱えられることと、物の数をかぞえられることは違います。数を表す「言葉」と物の「数」が一致していなくては、数が理解できているとはいえません。

　数の理解は、生活や遊びのなかでかぞえる経験を重ねることで育まれていきます。

いち、に、さん…

基礎知識

数の理解につながる経験

結果を急がず、くり返しの経験で数の感覚を育てる。

拾ったどんぐりをかぞえる

「1，2，3…」と一緒に指でさしてかぞえながら、「いくつだった？」と聞く。

おやつのクッキーをかぞえながらとる

「クッキーを5枚とってね」と言って、子どもがかぞえながらお皿に移す。

たくさんのものを家族に分ける

「パックの中にミニトマトはいくつ入っているかな」と聞き、かぞえたら今度は人数分を同じ数ずつお皿に分ける。

図形に興味をもたせたい

親である私は、計算は得意だったものの図形がずっと苦手でした。子どもには苦手意識をもたせたくないので、できることがあれば早い時期に対策をと思います。

 「形を教えよう」とせず、積み木やパズル、折り紙遊びで図形の感覚を育てる

形の感覚は、経験で育ちます。例えば、折り紙や積み木、パズルなどの遊びがおすすめです。

折り紙は、真四角の紙が等分に折られることで、三角が2つになったり、4つになったりします。折り方によって、長方形や正方形になるといったことも、遊びながら身についていきます。

積み木遊びでは、立体的なものを反対側からだとどう見えるのか、見えない位置にいくつ積み木があるかということが、自然に理解できるようになっていきます。

パズルは、形の感覚を育てるとともに、完成させた達成感がもっとやってみようという意欲を育てます。「わからない」と助けを求めてきても、自分で最後まで仕上げるように励ましたり、アドバイスしたりする程度にとどめるのがポイントです。

折り紙で形の変化を楽しむ

折り紙さえあれば、どこでも楽しむことができる。まずは簡単なものから始めて、たくさんの経験をつむとよい。

❶ 折り紙を三角に折って見せながら

半分に折って
三角にしてみよう。
四角い折り紙が
三角になったね

❷ もう一度広げて見せながら

もう一度、
広げてごらん
四角に戻ったね

学習にまつわる「知りたい」 Q7

算数でつまずかないためには?

5歳の娘。小学校に入って算数でつまずかないために、いま、できることはありますか。

 A 親子の会話で数を意識して使う

幼児のうちは、いわゆる「学習」ではなく、生活や遊びのなかでの学びを大切にします。例えば、クッキーの数をかぞえて家族に配ったり、お風呂で湯船につかりながら数をとなえたり、お父さんのはしと自分のはしの長さを比べたりなどの経験が、そのまま算数につながる学びとなります。

また、親子の会話のなかで「合わせていくつになる?」「いくつ足りない?」「一人分はいくつ?」「タンスの上から○番目」など、数を意識する言葉をかけていくことで、算数の理解を助ける数の感覚が身についていきます。

え～と…

「集合数」と「順序数」の違い

集合数	かぞえた数の最後の数が、全体の数を表す。
順序数	順番を表す。例えば、上から2番目、前から3列目など。この場合は、最後の数が全体の数である集合数とは違って、そのものを特定する。

書くときの姿勢が悪い

絵や字を書いているときなど、子どもの姿勢が悪いのが気になります。注意をしてもなかなかおりません。どう教えればいいですか。

 楽しく根気よく、正しい姿勢を伝えて

　字や絵を書くときだけでなく、食事のときや座っているときの姿勢は、幼児期によい習慣を身につけたいものです。特にこれから勉強したり、将来パソコンに向かったり、長い時間机に向かって椅子に座る生活になります。いまのうちに正しい座り方を身につけられるよう、「お背中ピン！」などと楽しく合言葉をかけながら根気よく伝えていくようにしましょう。

書くときの姿勢

・机に向かって真っすぐ座る
・足はそろえなくてもよいが、両足をしっかり床につける
・机と体を握りこぶし分の間を開けるようにする
・背すじを伸ばし、顔を近づけすぎないようにする
・左手は、紙の上に添える

背中はピン！

おなかはグー！

注意をするのではなく、楽しい言葉をかけながら、足をそろえたり、背中に手を添えて意識できるようにする。

足の裏はピタ！

学習にまつわる「知りたい」

9

消しゴムがうまく使えない

消しゴムを使わせてみたら、うまく消せずに紙がよれてぐ
ちゃぐちゃになってしまいました。

A 消しゴムで消すのは、幼児にはまだむずかしい。
急いで与えず、様子を見ながらゆっくりと

大人は、鉛筆と消しゴムをセット
で考えがちですが、鉛筆を使い始め
た幼児にとって、消しゴムで消すと
いう作業は、むずかしいものです。
きれいに消せなかったり、紙にしわ
が寄ってしまったりすると書くのが
いやになってしまいます。

また、消しゴムの香りや形に気が
散ったり、消すこと自体が楽しい遊
びになってしまうことがあります。

幼児のうちは、できれば消しゴム
は与えず、間違えたら横にもう一度
書けばよいという気持ちで取り組み
ましょう。

基礎知識

消しゴムを使うことをすすめない理由

幼児期には消しゴムを使わないほうがよいと考える理由は、以下の通り。

・まずは書くことに集中するため
・一発勝負のこころ持ちで書くことを覚えてもらうため
・消すことに興味を移させないため
・きれいに消すのは、力の加減がむずかしいため

学習にまつわる「知りたい」 **10** Q

PART 4

指を使ってたし算をしている

塾に通っています。でも、宿題をやっている様子を見ると、指を使ってたし算をしているようです。

 抽象的な数字の計算式ではなく、生活のなかで数を理解していくことが大切

指を使っていることは、いま、そんなに気にすることはないでしょう。それより、子どもが数を理解できているかどうかに注意を向けてみてください。

幼児期は、生活のなかで数にふれて、経験することが大切になります。例えば、ケーキが3個、お皿が3枚など、それぞれ同じ仲間（集合）を見つけることが基本になります。

＋（たす）－（ひく）などの記号を使うまえに、「同じ」「違い」「多い」「少ない」「足りない」「余る」「分ける」「あといくつで同じ」などの言葉を使って数に親しむことが必要です。

 基礎知識

遊びながら数の理解

親子で一緒に、いろいろなパターンで数を声に出して言ったり、物をかぞえてみる。

数を順番に言う	1、2、3、4……
逆に言う	10、9、8、7……
2ずつかぞえる	2、4、6、8、10……
5ずつかぞえる	5、10、15、20……　　　　など

数字をいろいろな形に書く

子どもは、カレンダーや時計などを見ながら数字を書くようになりました。ただ、1や4や9など、いろいろな形の数字を書いています。このまま自由に書かせていいのか悩みます。

小学校で習う数字を教えて

生活で目にする数字と小学1年生で習う数字の形が同じとは限りません。子どもが混乱しないよう、小学校で習う形を、正しい書き順で覚えられるようにしましょう。

親が大きく手本を書いて見せるなど、一緒に楽しく取り組んでみてください。

基礎知識

「教科書体」の数字とひらがな

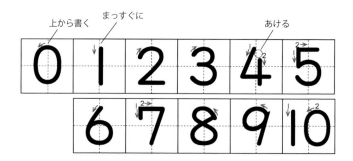

書き順を教えたほうがいい?

ひらがなに興味をもち始め、覚えたひらがなを書けるように
なりましたが、書き順は、めちゃくちゃです。小学校で教え
てくれるから、このままでいいのでしょうか。

 ## 小学校で習うひらがなを
確認してから教える

　ひらがなには書き順があり、それは、見た目がきれいに書けるだけでなく、早
く書けて、疲れない書き方です。小学校でていねいに教えてくれますが、その前
に間違った書き順で覚えてしまうと直すのが大変です。ぜひ最初から、正しい書
き順で書くことができるよう、親が教えていきましょう。

　また、小学校では、「教科書体」という字体で習います。親が小学生の頃とは
字体が変わっている場合もあるので、小学校で習うひらがなを確認してください。

わ	ら	や	ま	は	な	た	さ	か	あ
	り	み	ひ	に	ち	し	き	い	
を	る	ゆ	む	ふ	ぬ	つ	す	ぐ	う
	れ	め	へ	ね	て	せ	け	え	
ん	ろ	よ	も	ほ	の	と	そ	こ	お

Message

教育とは、「あなたならできる」と勇気づけること

Message

お母さんの笑顔は、子どもにとってこころの栄養

時計の読み方を教えたい

時間を意識できるよう、時計の読み方を教えたいと思いますが、どう教えればよいでしょうか。

A 時間の長さの感覚を
身につけることから始める

デジタル時計は時刻を知るためには便利ですが、子どもが時計の読み方を理解し、時間の感覚を身につけるには、アナログ時計がおすすめです。

時計の針が回るアナログ時計は、長い針が12から1に進むことで5分、6まで進んだら30分、長い針が1周まわったら1時間…と、時間の長さの感覚を身につけることができます。

ふだんから、声に出して時間を伝えて時計を見る習慣をつけ、時間を意識するようにしましょう。

生活のなかにアナログ時計を取り入れて

・子どもにわかりやすいシンプルな文字盤で、秒針のある時計を選ぶ
・子どもが見やすい位置にかけたり置いたりする
・会話のなかに時計の動きを意識して取り入れる

注意 時計の読み方を教えるのではないことを念頭に！

3時になったら
おやつにしよう

長い針が
5のところにいくまでに
片づけよう

長い針も短い針も
上を向いたら12時ね。
お昼ご飯を食べようね

次の駅まで
何分かかるかな？

『○○（番組名）』は
6時30分から
始まるね

など

日にちの感覚を身につけるには?

5歳の息子は、「明日は保育園あるの?」「お父さん休み?」「○○のテレビはいつやるの?」など、毎日聞いてきます。小学校に入ってから時間割などが管理できるのか心配です。

 ## カレンダーを生活のなかで活用していく

　子どもが好きなキャラクターなどのカレンダーを用意してはいかがでしょう。ある程度の大きさがあり、数字や曜日のはっきりしているものを選び、子どもが手の届く位置にかけます。

　そして、「今日は何月何日?」と、カレンダーを指しながらたずねます。

　園の行事や家族の誕生日などに印をつけ、カレンダーを見ながら、その日まで「あと○日ね」などと確認します。

　興味をもつには楽しいことが必要です。子どもと一緒にシールを貼ったりしながら、カレンダーを活用しましょう。教えるのではなく、生活の一部として使っていくことが大切です。

生活のなかで日にちや時間、数を意識するための工夫

・時計やカレンダーなどは子どもから見えやすい位置にかける
・大人のこころのなかの声を言葉にする

（みかんの袋を手に）
4人なのに
2つ多いわ

あと10分で
洗濯が終わるわ

明日から
○月ね

（料理本を見ながら）
2分間、
ゆでればいいのね

左利きは直したほうがいい?

息子は左利きのようで、食事をするとき、絵を描くとき、ボールを投げるときも左手を使います。小学校入学までに右手が使えるように直したほうがよいでしょうか。

 ストレスになるような無理強いはしないで

幼児期は、まだ利き手が定まっていないので、右手に持ちかえるように促してみてもいいでしょう。ただし、無理強いは、大きなストレスになるので禁物です。はしを右手で持つことがストレスになり、食事がおいしくなくなったり、楽しくないものになったりしては意味がありません。

以前は、左利きでは不便なことや、しつけとして右手を使うように修正することが多くありました。最近では、左利きの道具も増え、スポーツでは有利なこともあり、左利きで困ることはあまりないと思われます。

ただし、筆を使う書道では文字の流れが書きにくいので、可能であれば、書道は右手で身につけることをおすすめします。

左利きの割合

・世界における左利きの割合は、8〜15%
・男女別では、女性より男性の方が圧倒的に左利きが多い
・左利きの出現率

　　右利きの父×右利きの母 ⇒ 88%の子どもが右利き
　　右利きの父×左利きの母の場合 ⇒ 73%の子どもが右利き
　　左利きの父×右利きの母の場合 ⇒ 79%の子どもが右利き
　　左利きの父×左利きの母の場合 ⇒ 60%の子どもが右利き

言葉数が少なく、話し方が幼い

5歳ですが、話す言葉が幼すぎると感じます。言葉の数も少ないようで、気になります。

絵本の読み聞かせやしりとり遊びなどで
楽しみながら語彙数を増やす

一般的に、5歳位になると日常会話には不自由しない程度の語彙数が身につくといわれています。しかし、言語能力の発達は個人差が大きいものです。

同じ年齢の子に比べて語彙数が少ないと感じるようなら、親子の会話のなかで意識してさまざまな言葉を使うようにしてみましょう。なぞなぞやしりとりなどの言葉遊びも、楽しく語彙数を増やすことができます。

また、絵本の読み聞かせをくり返すことでも語彙数が増えます。知らない言葉が出てきても、前後の文章のニュアンスから意味が理解できるようにもなります。毎日、少しでもよいので、読み聞かせの時間をつくりましょう。

 基礎知識

日頃から「書き言葉」を意識して

小学校に入ると、教科書の文章や発言などで「書き言葉」を使う機会が増える。「書き言葉」は、ていねいに話すときにも使う。普段から子どもとの会話に意識して取り入れるようにしたい。

話し言葉	→	書き言葉
「行ったねー、公園」		「昨日、○○ちゃんとママは、公園に行ったよね」
「お水！」		「お水をください」
「寝る時間！」		「○○ちゃんは寝る時間ですよ」

なんでも質問する子。簡単に答えていい?

「なぜ、雨が降っているの?」「どうして、空は青いの?」など、何でも質問してきます。子どもの好奇心は大事にしたいと思い、できるだけ答えるようにしますが、簡単に答えを教えてよいのか悩むようになりました。

 ## 「どう思う?」と問いかけて考える感覚を育てる

　子どもにとって、親はいちばん身近にいる大人ですから、子どもは、聞けばなんでも教えてくれると思っています。ですが、少しずつ、疑問に思ったことに対して、自分で考える力を育んでいくようにしたいですね。

　まずは、「よく気づいたね」「不思議ね」と子どもの疑問をほめ、共感します。そして、「○○ちゃんはどうしてだと思う?」と問いかけ、自分で考える感覚を育てましょう。さらに図鑑を一緒に開くなど、いろいろな方法で疑問を解決するサポートをします。

　幼児の学びは「育てる」ことで、必ずしも「教える」ことではありません。子どもの興味に共感し、教えたい気持ちをぐっとこらえ、子どもが考えて答えを出すのを待ちましょう。自分で答えを導き出したときのうれしい気持ちは自信につながります。

 基礎知識

考える感覚を育てるための言葉のかけ方

問いかけるとき	子どもの答えには
「○○って何かな?」	「そうね。よく知っているね」
「教えて」	「教えてくれてありがとう」
「どうしたらいいと思う?」	「いい考えね」

「できない」とすぐに投げ出す

パズルや折り紙などで遊んでいるとき、ちょっと行き詰まると「できない」と言ってすぐにあきらめてしまいます。最後までやり遂げる力をつけるにはどうしたらよいでしょう。

簡単なことから取り組み、「できた」という達成感をもつことから始める

　パズルや折り紙の難易度は子どもの発達に合っていますか？　むずかしすぎる課題だと、途中でいやになることがあります。まずは、かんたんなものから取り組み、「できた」という喜びを感じられるようにしましょう。達成感を実感すると、少しむずかしくてもがんばろうと思えるようになります。また、好奇心もうまれ、新しいものにチャレンジしようという意欲も育まれます。

　ただし、子どもの好奇心は必ずしも長く続きません。すぐに飽きてしまったり、興味をもたなくなったりしますが、しばらくするとまた興味をもつこともあります。

　結果を急がず、一緒に考えたり、応援したりしながら、やる気を育てていきましょう。

で," できた〜！

基礎知識

やり遂げる課程で必要な力

・じっくり集中して取り組む力
・諦めない強いこころ
・我慢するこころ
・どうすればよいかを考える力
・冷静なこころ
・「やってみたい」という好奇心

育てたい力のサイクル

自分のことは自分でできる子にしたい

甘えん坊で、なんでも「やって」と言ってきます。私もついついやってしまいます。これから小学生になるに向けてどうすればいいでしょう。

時間がかかっても、自分で取り組めるようサポートを

　小学校に入ると身のまわりのことも時間の管理も自分でしなくてはなりません。いまのうちに、自分で考えておこなうのは楽しいと感じられるようにサポートを変えていきましょう。

　子どもの自立心を育むには、親は手を出さず、子どもが落ち着いて取り組めるように見守ることが必要です。

　手伝ってあげたい気持ちをぐっと我慢して、子どもが試行錯誤したり、努力したりしているときには見守りましょう。

　ただし、できないときに「わからない」「手伝って」と言うことも大切な手段です。そのときは手を貸しても、全部やってあげるのではなく、最後は自分でできたという気持ちをもてるようにしましょう。

がんばれ…！

基礎知識

自分から行動できる子にするには

・「～しなさい」という命令や指示は、できるだけ控える

・してほしい行動は、「～したらどうかな？」と提案する形にする

・「○○と××どっちがいい？」と聞き、子どもが選んで、自分で決められるようにする

落ち着いて話を聞けない

私が大事な話をしようとすると「わかった、わかった」と言って、話から逃げようとします。園でも先生の話をじっと聞くことが苦手なようです。小学校に入ってから、授業で先生の話をきちんと聞いていられるかとても心配です。

A お父さん、お母さんの話、長くないですか？

小学校では、先生の話を最後までしっかり聞くことが大切になりますが、そうした力は、すぐに身につくわけではありません。

身につけるためには、まず親が話し方を工夫しましょう。子どもにしっかり聞いてもらいたい話は、適切な言葉でわかりやすく短く伝えるようにします。感情的にならずに根気よく続けましょう。

また、保護者自身も子どもが話しているときには最後までしっかり聞くようにします。何かをしながらではなく、子どもの話を笑顔で聞きましょう。

しっかり聞く態度を身につける

話を聞いて考える力は、学力に直結している。

・静かに聞く
・話の途中で口を挟まないで最後まで聞く
・話をする人のほうを向き、目を見て話を聞く

ピクニックは重労働 !?

Message

子どもが甘えてきたときは
満足するまで甘えさせて

Message
たくさん認められると
子どもは自分が好きになります

PART 5
子どもを通した人間関係

子育てをしていると、
いろいろな人とのつきあいが
広がっていきますね。
子どもが絡んでの人間関係に
むずかしさを感じている人は
多いでしょう。

どうしたら、よりよい人間関係を築き、
広げていくことができるのでしょうか。

それぞれの悩みにこたえながら、
コミュニケーションの基本や
人間関係が楽になる
考え方のコツをお伝えします。

演技が大事⁉

自分も相手も大事にしながら、言いたいことを伝えるコツ

相手の言動に不満を抱えながらも、人間関係を壊したくないからと黙っている…。
でも、無理な我慢は、自分にとっても相手にとっても、誠実ではありません。
自分も相手も大事にしながら言いたいことを伝えることが、結果的に、よりよい
人間関係を築きます。

1 いま、自分がどんな気持ちなのかを把握する

感情的な言葉を口に出してしまうと、言いたいことが
正確に伝わりにくくなります。まずは自分が何をどの
ように考え、感じているか、自己分析してみます。気
持ちをノートなどに書き出してもよいでしょう。

2 相手が理解できる言葉を選ぶ

相手の年齢や立場などを考慮しながら、理解できる
言葉を選びます。また、できるだけ具体的に伝え、
曖昧な表現は避けます。

3 「私」を主語にする

「私はこう思う」などと、私に視点をおいて伝えます。
これを「アイ・メッセージ」と言い、命令や指示な
ど相手に視点をおいた「ユー・メッセージ」より受
け入れてもらいやすくなります。

4 事実と要望をシンプルに伝える

相手の言動によって生じる結果を事実として提示し
たうえで、「だから、こうしてほしい」とシンプルに
要望を伝えます。

相手の気持ちを理解し、受け止めるコツ

同じ年齢、同じ環境で過ごした学生時代の仲間とのつきあいとは違い、大人になってからは、年齢や価値観が大きく違う人ともつきあっていかなければなりません。相手の気持ちを理解するためにはいくつかのコツがあります。

1 相手に関心をもつ

相手の表情やしぐさ、声の調子などをよく観察し、その人がどういう人なのか、いま何を感じているのか思いをはせながら聞きます。

2 相手の話をしっかり「聴いている」という態度を見せる

相手が話を聴いてもらえていると感じることが大切です。そのための聴き方として、あいづちを打ちながら聴く、相手の言葉をくり返しながら聴く、話をまとめて短く返す、相手の心情を思いやる一言を添える、などのポイントがあります。

3 まずは否定せず、受け止める

相手の話が自分の思いと異なる場合でも、まずは頭ごなしに否定せず、「あなたはそう思っているんですね」と受け止めます。

相手のこころに寄り添う
カウンセリングマインド

相手の抱える問題や悩みの相談にのり、援助する場合の心構えや態度のことを「カウンセリングマインド」と言います。

子どもはもちろん、夫婦や家族、友だちなど大切にしたい人間関係には、カウンセリングマインドの基本を意識して対応に努めるとよいでしょう。

一人ひとりを
大切にする
こころ

他人の痛みを
感じるこころ

待つこころ

向き合う
こころ

円滑な人間関係のために
意識したい 11 のこころ

思いやる
こころ

学ぶこころ

可能性を
開くこころ

やわらかい
こころ

学び続ける
こころ

ともに
生きようと
するこころ

葛藤を生きる
こころ

Q

ママ友は必要?

ママ友がいません。わずらわしいことがなくて楽な反面、「気軽に話し合える友だちがいたら」とさみしく思うこともあります。つくるよう努力する必要はありますか。

A 無理につくる必要はなし。
自然体で気軽に話し合える
友だちはママ友以外でも

　自分の気持ちを吐き出せる相手がいると、気持ちが楽になり、支えにもなります。子育ての相談などができれば、とても心強いですね。しかし、そういう相手は「努力して」できるわけではなく、かかわっていくうちに自然と関係ができていくものです。無理にママ友をつくろうとがんばる必要はありません。

　「気軽に話し合える友だち」は、ママ友でなければいけないわけではなく、学生時代の友だちや昔から親しい人とのおつきあいで満足できているのであれば、それもよいのではないでしょうか。

ママ友との関係

**ママ友が
いる場合の
メリット**

・子育ての悩みが相談できる
・子育て情報が得られる
・子どもに友だちができ、
　一緒に遊べる

**ママ友が
いない場合の
メリット**

・自分のペースで過ごせる
・人間関係に振りまわされず
　にすむ
・親子の時間を大切にできる

ママ友グループから孤立

ママ友グループから外されてしまいました。理由はわかりません。互いの家を行き来しての集まりにも誘われなくなり、私も辛いし、子どももさみしそうです。

A 思いきって理由を聞いて納得できなければ、そのグループとの関係は断ち切る

　理由がわからないことでこころを痛め続けるのはつらいですね。思い切って理由を聞いてみるのはいかがでしょう。もしかしたら自分の知らない間に気にさわることを言ってしまったのかもしれません。相手の勘違いということもあります。

　理由を言ってくれない、あるいは理由に納得できないのであれば、そのグループとの関係は断ち切りましょう。ママ友はあくまでもママ友。子どもの成長とともに、かかわりがなくなる人がほとんどです。自分も子どもも心地よく過ごせる仲間を探しましょう。

ママ友とうまくつき合う方法

・競争心をあおる言葉や内容は避ける
・適度な距離感を大切にする
・人にはいろいろな気分があることを理解し、態度の変化を深く追求しない

127

子どものけんかへの対応に悩む

Ａちゃんとうちの娘がごっこ遊びの役をめぐってけんかを
し、結果的に娘がＡちゃんを泣かせてしまったと本人から聞
きました。私は「子ども同士で解決すべきこと」ととくに娘
に注意はしませんでしたが、Ａちゃんのママは園に文句を
言ったようです。園から私へ話はないのですが、気持ちがすっ
きりしません。

世間にはいろいろな考えの人がいる。
謝罪の言葉をきっかけに
自分の考えを伝えてみては

　世間にはいろいろな考えの人がいるので、自分が正しいと思うことが通じない
こともあります。園から話がないのであれば、保育者も「子ども同士のけんかに
親が入る必要はない」ととらえたのでしょう。でも、Ａちゃんのママはそうは思
わなかったということですね。

　Ａちゃんのママとの関係をすっきりさせたいのであれば、「娘がＡちゃんを泣
かせてしまったみたいでごめんなさい」などの謝罪の言葉をきっかけに、「子ど
も同士で解決したほうがよいと思って何も言わなかった」とあなたの考えを伝え
てみてはいかがでしょうか。

基礎知識

相手に思いを伝えるときのコツ

よい聞き手となる

相手に
わかる言葉で
話す

結論を先に話す

相手の
反応を見ながら、
言い方を考える

保護者会に行きたくない

昔から人見知りで、友だちづくりが苦手です。子どもの入園をきっかけにママ友ができればと思いましたが、2年保育で入ったところ、3年保育のときからの輪ができていて、仲間に入れませんでした。話す相手がいないので、保護者会に行くのが苦痛です。

 無理する必要はないが、ふとしたきっかけが
出会いにつながることもある

　保護者会は園での子どもの様子や園からの要望等を聞くための場なので、無理をする必要はありませんが、できれば参加したほうがよいでしょう。「ママ友ができれば」という思いがあるのなら、なおさらです。

　すでに輪ができているように見えても、同じような気持ちの保護者もいるのではないでしょうか。一人でいる保護者を見つけて話しかけてみてはどうでしょう。ふとしたきっかけで、友だちができるかもしれませんよ。

初めての相手に話しかけるときのコツ

・自分の子どもについての悩みなどを話す
・ちょっとした弱みを見せると、相手もこころを開きやすい

> 夜、なかなか寝てくれないので困っているんです

> あら、うちの子もなのよ

・子育てについての簡単な質問をする
・相手が答えやすいテーマであれば、会話が広がりやすい

> どこかよいスイミングスクールを知っていますか？

> うちの娘が通っているスクール、いいですよ…

園との関係

5

園の対応に不満

4歳の息子が同じクラスのAくんにいじめられています。担任に相談しましたが、改善しません。その子のお母さんに知らせていないのも不満です。

A もう一度担任に相談を。
解決しなければ園長や主任にも協力を求めて

もう一度担任に時間をとってもらい、園での様子を聞いてみましょう。本当にいじめられているのか、どのようないじめなのか、子どもやAくんの園での姿などをしっかり聞き取り、園での対策や家庭でできることなどを話し合います。もしかしたら、いじめられていること自体が子どもの思い込みで、実際とは違う部分が多い可能性もあります。

本当にいじめが存在する場合、担任にまかせても改善しなければ、主任や園長などにも相談してみましょう。新しい視点からの解決策が見つけられるかもしれません。

基礎知識

園の先生に相談を持ちかけるときのコツ

送迎時などを利用して直接、率直に相談する
時間に余裕がないときは、あらためて時間をとってもらう

連絡帳などで相談する
できれば後日、時間をとってもらい、できるだけ直接、会って話すようにする

進級で担任が変わったら
登園をいやがるように

年中組への進級にともない、担任も変わりました。穏やかで
よい先生だと思うのですが、娘は前の担任を恋しがり、登園
をしぶるようになりました。誰に相談すればよいのでしょう。

A 担任の問題以外の
不安やストレスが隠れていることも。
担任のほか、園長や主任にも相談して

　1年間一緒に過ごした前年度の担任を恋しがる子どもは多いものです。しかし、子どもは次第に順応していきます。あまり心配せずに見守るとともに、まずはいまの担任に園での様子を聞いてみましょう。担任が合う、合わないということではなく、進級にともなう不安やクラスの友だちが変わったことでのストレスを感じている場合もあるからです。

　担任の問題については、園長や主任、前年度の担任に相談してみます。しばらくは前年度の担任のクラスに遊びに行って気持ちを落ち着かせるなどの対策をとってくれるかもしれません。

基礎知識

4月の子どものこころとからだ

進級したことへの
期待が強く、
気持ちが
高揚しやすい

期待とともに
不安も強く、
失敗を恐れる

気持ちが
落ち着かないので、
けがなどを
しやすい

園で
気を張っている
ストレスから、
家庭では甘えが強く
出ることもある

⇒家庭ではスキンシップを多めにして対処を

父親になつかない

父親は仕事が忙しく、平日は３歳の娘と顔を合わせることがありません。そのためか、たまの休日に父親が娘と遊ぼうとしても、娘はいやがって私にべったり。何とかなつかせたいのですが。

父親とふれあう機会をつくるとともに ふだんから子どもに父親の話をし 信頼感を育てる

ふだん接する時間が長い母親になつくのはあたり前です。毎日少しずつでも父親とふれあう時間をつくり、子どもとの距離をコツコツと縮めていきましょう。朝、顔を合わせて「おはよう」と声をかけるだけでも父親を意識するようになり、関係がよくなっていきます。

同時に、父親がいない時間には、父親の写真を見せながら「お父さんは家族のために仕事をがんばってくれているんだよ」「お父さんは○○ちゃんのことが大好きなんだよ」などと話すようにしましょう。

父親の愚痴を言わないように心がけることも大切です。父親と母親が仲よくスキンシップをとっている姿を見せることでも、子どもの父親への信頼感が育っていきます。

父親と子どもとのふれあい方　　女の子編

(**1st** ステップ)

はじめは入り込みすぎず、少しずつ声をかけ、子どもの好きな遊びを一緒にやってみる

(**2nd** ステップ)

少し距離が縮まってきたら、父親ならではの、スキンシップがはかれる遊びを楽しむ

- ・ままごとの相手をする
- ・一緒にお絵かきをする
- ・一緒にぬり絵をする

など

- ・肩車をする
- ・子どもを背中に乗せて歩く（お馬さん）

など

Q 8

子どもと遊べない父親

息子は3歳ですが、父親が息子にかかわろうとしません。どう接していいかわからない様子です。母親としてできることを教えてください。

A ## 3人一緒に遊びながら
かかわり方を伝えて。
短い時間から2人の時間もつくってみる

まずは3人で一緒に遊びながら、母親がどう子どもと接しているかを見てもらいましょう。そして、父親にも実践してもらい、少しずつかかわり方を覚えてもらいます。

また、ふだんから子どもの1日の様子を話したり、子どもが好きな遊びや玩具、絵本などを知らせておくことも大切です。

そのうえで、短い時間から父親と子どもが2人で一緒に過ごす時間をつくっていくとよいでしょう。

基礎知識

父親と子どものふれあい方　　男の子編

1st ステップ

はじめは入り込みすぎず、少しずつ声をかけ、子どもがやっている遊びや好きな遊びを一緒にやってみる

↓

・ブロックで大作をつくる
・車や電車のおもちゃで一緒に遊ぶ
・パズルをする

など

2nd ステップ

少し距離が縮まってきたら、外で一緒に体を動かす遊びを楽しむ

↓

・ボールで遊ぶ
・乗りもので遊ぶ（乗り方を教える）

など

夫婦で教育方針が合わない

子どもはのびのび育てたい派の私と、きちんとしつけたい派の夫。食事の時間なども私は楽しく食べたいのに、夫ははしの上げおろしまでうるさく指導します。子どももどちらに合わせてよいか戸惑っているようです。

教育方針の違いはあってあたり前。よく話し合いながら新しい教育方針をつくって

　夫婦とはいえ、互いに育ってきた環境が違うので、教育方針などが合わないことはあたり前です。「どちらかが正解」ということはありません。相談者のケースでいえば、「楽しく食べるのも大切」だし「ルールを守って食べるのも大切」です。

　そこで、自分の考えを押しつけ合うのではなく、相手の考えも受け入れながら夫婦でよく話し合いましょう。そして、子どもにとって最善の教育方針をつくりあげていきましょう。

保護者が支出した1年間・子ども1人あたりの学習費総額

保護者が子どもの学校教育及び学校外活動のために支出した経費の総額。

公立幼稚園	23万4千円
私立幼稚園	48万2千円
公立小学校	32万2千円
私立小学校	152万8千円
公立中学校	47万9千円
私立中学校	132万7千円
公立高等学校（全日制）	45万1千円
私立高等学校（全日制）	104万円

出典：「平成28年度子供の学習費調査の結果について」
　　　文部科学省

10

子どもの前で夫婦げんかをしてしまう

短気で怒りっぽい夫。ちょっとしたことですぐに声を荒げます。私も負けず嫌いなので応戦してしまい、子どもの前で怒鳴り合うこともしばしばです。いけないとわかっているのですが……。

A いけないとわかっているなら大丈夫。
夫婦で反省し、話し合って
子どもに仲直りする姿を見せて

　子どもにとっては両親が仲よしであることが何よりです。子どもの前で怒鳴り合うほどのけんかをすることは、決してほめられることではありません。

　でも、それがいけないとわかっているのなら大丈夫。なぜなら反省ができるからです。子どものためにも2人でよく話し合い、どのようにすれば怒鳴り合いをせずにすむか考えてみましょう。

　それでも夫婦げんかをしてしまったときは、間違ったと思ったら謝り、仲直りをする姿を見せましょう。子どもは親の姿をよく見ています。

「いい夫婦」とは？

独身男女900名に聞いた「いい夫婦」に関する意識調査の結果。

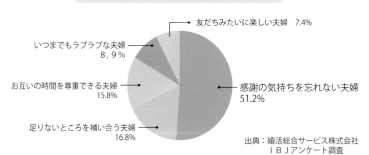

いい夫婦とはどんな夫婦だと思いますか？

- 友だちみたいに楽しい夫婦　7.4%
- いつまでもラブラブな夫婦　8.9%
- お互いの時間を尊重できる夫婦　15.8%
- 足りないところを補い合う夫婦　16.8%
- 感謝の気持ちを忘れない夫婦　51.2%

出典：婚活総合サービス株式会社
　　　ＩＢＪアンケート調査

11

離婚の決心がつかない

性格の不一致で離婚を考えています。夫婦仲はすでに修復不可能ですが、子どものためには別れないほうがよいのか、不仲な両親のもとで育つよりは別れたほうがよいのか、なかなか決心できません。

A 修復不可能であれば
先延ばしせず前向きに決断を

　離婚は自分の人生はもとより、子どもの人生にもかかわる大事なこと。答えは簡単には出せなくて当然です。ただ、決断を先延ばしにした状態が続くよりも、早く決断をし、その決断に自信をもって前向きに進んでいくことで、その「答え」がよりよいものになるはずです。

　いずれにしても一人で悩まず、まわりに助けを求めましょう。そして、今後離婚が成立した場合の環境の変化が子どもにとって少しでも負担の少ないものとなるように考えていきましょう。

離婚件数及び離婚率の年次推移

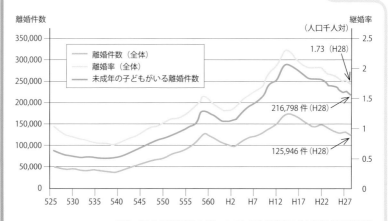

離婚件数

（人口千人対）　継婚率

- 離婚件数（全体）
- 離婚率（全体）
- 未成年の子どもがいる離婚件数

1.73（H28）

216,798 件（H28）

125,946 件（H28）

出典：「ひとり親家庭の支援について」厚生労働省子ども家庭局家庭福祉課

祖父母が孫に甘すぎる

同居の祖父母が息子に甘く、私が叱っていてもすぐに「そんなに怒ることじゃない」「お母さんは怖いね、こっちにおいで」などと口を出します。最近は息子も、テレビ見放題、お菓子食べ放題の祖父母の部屋に入り浸るようになりました。

 祖父母の存在に感謝しながら
自分たちの教育方針を伝え、理解してもらう

　子どもを大事にしてくれる祖父母がいて、甘えられる場所があるのは子どもにとって幸せなこと。ただ、あまりにも過度な甘えは「甘やかし」になってしまいます。祖父母の存在が子どもにとって大切でありがたい存在であることを伝えながらも、自分たちは子どもをこのように育てたいという教育方針を理解してもらうように伝えましょう。

　一方で、親はしつけのつもりが「言うことをきかせる」という方向へいってしまうこともあります。そんなときに祖父母のやさしさでフォローしてもらうことが、子どものためになる場合もあります。

　祖父母とは、子どもをより健やかに育てる者同士として、よりよいコミュニケーションをとっていきましょう。

 基礎知識

親子同居8つの工夫

親世帯と子世帯が快適同居をするための工夫。

・世帯間の独立性を尊重する
・互いに相手の文化を認める
・客が来やすい環境をつくる
・キーパーソンは両世帯の潤滑油になる

・経費の分担は明確にする
・孫の教育は子世帯の責任とする
・行事には積極的に参加する
・親族とのつきあいに配慮する

旭化成ホームズ　二世帯住宅研究所　調査データ

なんでもイイネ

げ…
ママ友
グループラインに
コメントいっぱい
入ってる…
…

もー
めんどー
だから
全部
スタンプで
返しちゃお

ぽん
イイネ
ぽん
イイネ
ぽん
イイネ
イイネ
イイネ

ぽんっ
イイネ！

し…
しまっ
たあ
──
…

林さん
カゼひいて
ランチ会
来られない
って

おし
ちゃっ
た…
イイネ！

Message
無理せず、心地よい関係を
大切にしましょう

Message

遊ばなきゃ、と気負わず
一緒に楽しんで

13

義両親の口出しが苦痛

「女の子なんだからズボンをはかせるのはやめなさい」「ピアノくらい習わせたら」「小学校は受験をさせなさい」など育児に口を出してくる義両親が苦手です。どう対応したらよいですか。

A 義両親の意見をよく聞いたうえで
夫の力を借りて自分たちの気持ちを伝える

　義両親もよかれと思って意見を言ってくるのでしょう。でも、納得がいかないことについては、言う通りにするわけにはいきませんね。

　まず、なぜそのように思うのか聞いてみましょう。そして、こちらの生活状況や子どもの意思も尊重したいなど、自分たちの気持ちを伝えるのがよいと思います。自分で言うのがむずかしければ、夫の力を借りましょう。

基礎知識

祖父母（親）に気持ちを伝えるために

自分たちの思いを親（祖父母）に伝えるために、日ごろからおさえておきたいポイント。

感謝の言葉を伝える

「ありがとう」と言われて悪い気がする人はいない。自分のことをいつも尊重してくれる相手だと思えば、話を聞こうという気持ちになる

子ども（孫）のことを思っての意見だと受け止める

祖父母の思いを聞き、その気持ちに感謝をしたうえで、自分たちの思いを伝えるようにする

義母から「仕事をやめろ」と

産休・育休を取ってずっと仕事を続けてきました。子どもの
ときからなりたかった職業なので、やりがいを感じています。
ところが先日、義母から「子どもがかわいそうだから仕事を
やめてほしい」と言われてしまいました。

A 子どもに対する愛情、仕事に対する思いを
素直に伝えてみる

「保育園に預けるのはかわいそう」と考える年配の方はまだ多いようです。でも、
子どもにとって大切なのは、一緒にいる時間ではなく、一緒にいるときの中身で
す。短い時間でもたくさん愛情をかけていることをしっかり伝え、自分の仕事に
対する思いも話し、義母にもフォローをお願いしてみてはいかがでしょうか。

いずれにしても誰にどう言われたかではなく、自分の進む道は自分で決めるこ
とが大切です。

親世代からの子育て支援の度合い

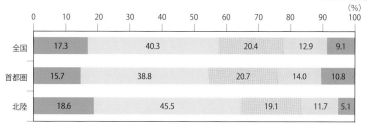

資料：内閣府「都市と地方における子育て環境に関する調査」(2011 年)
(注) 首都圏とは、埼玉県、千葉県、東京都、神奈川県。北陸とは、新潟県、富山県、石川県、福井県

■ とてもよく支援をしてもらっている　　■ よく支援をしてもらっている
▨ どちらともいえない　　　　　　　　　▨ あまり支援をしてもらっていない
■ 全く支援をしてもらっていない

出典：「都市と地方における子育て環境に関する調査」(2011 年) 内閣府

子どもを産んでから母のことが嫌いに

「子をもって知る親の恩」と言いますが、私は逆。出産してから実母が嫌いになりました。厳しさも愛情のうちと思ってきましたが、たたいたり外に締め出したりした母の行為を思い出し、「子どもによくあんなことができたものだ」という思いでいっぱいです。母の仕打ちに恨みがつのります。

 反面教師として自分の子育てに生かしつつ、実母に当時の思いを聞いてみても

　実母の仕打ちについての思いは、ただの恨みで終わらせず、わが子に対する愛情と自分の子育てを振り返る材料にしていきます。そして、実母には「昔はこんなことがあったよね」などと思い出話をしながら、当時の思いを聞いてみるのもよいでしょう。実母には実母なりの思いがあっての行動だったかもしれません。

　また、いまと昔では子育てに対する考え方は違います。いまはすぐに「虐待」になりますが、昔はそうではありませんでした。実母としても、しつけの一環としてしたことで、あなたのことが嫌いでそうしたわけではないのではとも思います。実母自身がどのように育てられたかを含めて聞くことで、実母の気持ちが理解できるとよいですね。

 基礎知識

「母娘」をテーマにした本

さまざまな母と娘の姿を知ることが、こころの整理につながることも。

『母性』
湊かなえ／
新潮社

『東京プリズン』
赤坂真理／
河出書房新社

『シズコさん』
佐野洋子／
新潮社

『母の遺産
新聞小説』
水村美苗／
中央公論新社

『母の発達』
笙野頼子／
河出書房新社

『母がしんどい』
田房永子／
新人物往来社

家に入り浸る近所の親子を断りたい

近所に住む親子が、毎日わが家に遊びに来ます。夕食時になってもなかなか帰ろうとせず困っています。どう断ればいいですか。同じマンション内なので、居留守を使うわけにもいきません。

**A 断るときはしっかりと理由を伝える。
○時までと、具体的な時間を示すのもコツ**

近所づきあいは、あまりはっきり断っても角が立ちますし、いろいろなしがらみがあって大変ですね。けれど、断る勇気も必要です。適度な距離を保ちつつ、いい関係でいるためにもここはきっぱりと気持ちを伝えましょう！

「遊びに来てくれるのは、子どもも楽しんでいるからありがたい」などと相手を尊重する言葉から入り、「ただ、○時頃からは夕食の準備をしたい」などと自分の家の状況を伝えてみましょう。

じょうずに断るコツ

角を立てずに断るにはコツがある。

- 0か100かではなく、一部分だけ断る

- 代案を出す

- 自分の意思ではなく、まわりの状況のせいにする

- 「今回は、ごめんなさい」と、「今回だけ」を強調しながら断る

143

子どもの足音に階下からクレーム

5歳と3歳の男の子がいる4人家族。集合住宅の3階に暮らしています。最近、階下の住人から「子どもの足音がうるさい」とクレームが入りました。子ども部屋にマットを敷くなど工夫はしているつもりですが、どのように対応したらよいでしょうか。

A 誠心誠意謝罪をし、
コミュニケーションをはかるとともに
家の中では静かに遊べるように工夫する

「子どもなのだから仕方ない」と思いがちですが、みんながそう思えるわけではありません。顔を合わせるたびに「いつもうるさくてすみません」などと謝罪し、お土産やおすそ分けをするなど、コミュニケーションを大切にしていきましょう。

同時に、子どもには「ほかのおうちの人に迷惑だから」と静かに過ごすように言ってきかせます。また、外で思い切り遊ばせるよう心がけ、家の中では静かに遊べるよう親子で考えてみてはいかがでしょうか。

苦情に対するお詫びのポイント

・お詫びとともに、気づかせてくれた感謝の言葉を伝える
・苦情に対する対策をしていることを伝える
・「何時頃が気になりますか」「どんな音がうるさいですか」など、相手に相談や質問をする

Q18

きょうだいげんかはどうしたら?

5歳と4歳の兄弟。毎日、とっくみ合いの大げんかになります。叱りますがやめません。お菓子の取り合いやどちらが先におもちゃを使うかなど、理由はいつも些細なことです。

 **きょうだいげんかを通して学ぶことは多い。
基本的には干渉せず、長い目で見守って**

　きょうだいげんかは、必ずしも悪いことではありません。きょうだいげんかを経験することで、相手の痛みを知ったり折り合いをつけるタイミングを学ぶなどコミュニケーション力が育ちます。基本的には干渉せず、長い目で見てあげてください。

　ただ、相手がけがをしたり、強い言葉で傷ついたりしないよう注意して見守り、危険なときはしっかり止め、してはいけないことだと伝える必要があります。

　なお、2人のうちどちらかだけを叱ったり、保護者の判断でけんかを終わらせたりするのはよくありません。双方の言い分を聞きながら、どちらもが自分の思いを伝えられるようサポートしていきましょう。

きょうだいが仲よくなる親の対応

- おだやかな雰囲気のときに「2人とも大切な子どもだから仲よくしてほしい」と、親の気持ちを伝える
- お菓子は同じものを同じ量だけ与えるなど、平等に扱う
- ふだんから、きょうだいそれぞれのよいところをほめる
- 「お兄ちゃんだから」「弟だから」という理由で、我慢させたり叱ったりしない

きょうだいを差別してしまう

　４歳の娘と１歳の息子の子育て中です。生意気盛りの娘に比べ、息子は何をしてもかわいい。娘は「○○（弟）ばっかりかわいがる」と不満そうですが、どうしても態度に出てしまいます。

意識して娘との時間をつくりスキンシップや言葉で「大好きだよ」と伝える

　「差別をしている」と自覚があるのですね。たしかに１歳の子どもと比べると、４歳はとても大きく見えてしまいます。また、同性より異性の子どものほうに甘くなってしまう傾向があります。さらには、血がつながった親子とはいえ、相性もあります。それでも、ここは中立を心がけてください。差別を続けていると子どものこころが傷つき、弟に対してやさしい気持ちがもてなくなってしまいます。将来的に母娘の関係に禍根を残してしまう可能性もないとはいえません。

　そこで、ふだんから抱きしめるなどスキンシップをとったり、意識して娘と２人の時間をつくったり、娘のよいところを言葉に出して伝えていきましょう。

　「あなたがいちばん大好き」と思い切りかわいがるうち、きっと愛情が伝わり、弟のことも大好きになって、面倒見のよいやさしい子になりますよ。

きょうだいを差別することの弊害

きょうだいを差別している自覚がないまま差別が続くと、子どものこころは想像以上に傷つき、将来的に弊害がでる可能性が高くなる。

ひいきされた側の子どもは将来、うつになりやすい

可愛がられなかった子どもは将来、非行に走りやすい

きょうだい仲が悪くなりやすい

シングルマザー。再婚を悩む

娘が1歳前に夫と死別し、4歳になるいままでシングルマザーとしてがんばってきました。昨年から仕事関係で知り合った人と交際を始め、このほど結婚を申し込まれました。子どものためにも新しい家庭を築きたいのですが。

「子どものために」と言い訳せずに 自分が「しあわせになる」と決断を

　交際相手の方が、母であるあなたと子どもに愛情をもって接してくれるのであれば結婚はよいことだと思います。親である前に、あなたも一人の人間です。自分がしあわせになる道をあきらめることはありません。ですが、子どもを引き合い出さないことが大切です。子どもには「自分がしあわせになるためにこの人と結婚する」ということをしっかり伝えることが大事です。子どもに「自分のために」「自分のせいで」と思わせる言い方や態度を示してはいけません。

　ただ、一緒に暮らし始めると当面は、みんなが新しい環境に慣れるまでに時間がかかるでしょう。一緒に生活をする前に子どもと交際相手が少しずつ会う機会を増やし、ゆっくりと慣れていけるようにケアしてあげてください。

基礎知識

離婚をした者の再婚の状況

平成19〜23年に離婚したものが離婚した年次を含む離婚後5年以内に再婚した割合。

夫	妻
30歳代前半までに離婚した者は35%以上、30歳代後半で約30%、40歳代で約20%	20歳代までに離婚した者は30%以上、30歳代前半で約30%、30歳代後半で約20%

夫妻とも30歳代前半までで高い傾向が見られる。

参考：平成28年度　人口動態統計特殊報告「婚姻に関する統計　厚生労働省

約束どおり！

Message
祖父母の気持ちを理解して、
まずは感謝を

はじめはみんな…

Message
子どもの気持ちに寄り添いつつ、
見守りましょう

INDEX

本書は 2019 年 1 月に発行した「チャイルド Q & A」シリーズを合本・再編集したものとなります。

スタッフ

監修　　　柴田豊幸
編著　　　チャイルド社
執筆協力　パピーナ西荻北保育園　相澤妙子（チャイルド社）
漫画　　　小道迷子　古屋昌子（チャイルド社）
イラスト　種田瑞子　鈴木穂奈実（チャイルド社）
デザイン　ベラビスタスタジオ
編集協力　こんぺいとぷらねっと
印刷　　　宮永印刷

育児の悩みに現役保育士がアドバイス
Q&Aでわかる！　育児のヒント100

発行日　2020 年 7 月 1 日　初版
発行人　柴田豊幸
発　行　株式会社チャイルド社
　　　　〒 167-0052　東京都杉並区南荻窪 4 丁目 39 番 11 号

ISBN978-4-925258-50-0